LE VOLEUR D'OMBRES

DU MÊME AUTEUR

chez le même éditeur

Et si c'était vrai..., 2000
Où es-tu ?, 2001
Sept jours pour une éternité..., 2003
La Prochaine Fois, 2004
Vous revoir, 2005
Mes amis, mes amours, 2006
Les Enfants de la liberté, 2007
Toutes ces choses qu'on ne s'est pas dites, 2008
Le Premier Jour, 2009
La Première Nuit, 2009

Marc Levy

LE VOLEUR D'OMBRES

roman

ROBERT LAFFONT

ISBN 978-2-221-11312-7

À Pauline, Louis et Georges

« Il est des gens qui n'embrassent que des ombres ;
ceux-là n'ont que l'ombre du bonheur. »

William SHAKESPEARE

« L'amour, tu sais, ce dont il a le plus besoin, c'est l'imagination. Il faut que chacun invente l'autre avec toute son imagination, avec toutes ses forces et qu'il ne cède pas un pouce de terrain à la réalité ; alors là, lorsque deux imaginations se rencontrent... il n'y a rien de plus beau. »

Romain GARY

J'ai eu peur de la nuit, peur des formes qui s'invitaient dans les ombres du soir, qui dansaient dans les plis des rideaux, sur le papier peint d'une chambre à coucher. Elles se sont évanouies avec le temps. Mais il me suffit de me souvenir de mon enfance pour les voir réapparaître, terribles et menaçantes.

Un proverbe chinois dit qu'un homme courtois ne marche pas sur l'ombre de son voisin, je l'ignorais le jour où je suis arrivé dans cette nouvelle école. Mon enfance était là, dans cette cour de récréation. Je voulais la chasser, devenir adulte, elle me collait à la peau dans ce corps étroit et trop petit à mon goût.

« Tu verras, tout va bien se passer... »

Rentrée des classes. Adossé à un platane, je regardais les groupes se former. Je n'appartenais à aucun d'eux. Je n'avais droit à aucun sourire, aucune accolade, pas le moindre signe témoignant de la joie de se retrouver à la fin des vacances et personne à qui raconter les miennes. Ceux qui ont changé d'école ont dû connaître ces matinées de septembre où, gorge nouée, on ne sait que répondre à ses parents quand ils vous assurent que tout va bien se passer. Comme s'ils se souvenaient de quelque chose ! Les parents ont tout oublié, ce n'est pas de leur faute, ils ont juste vieilli.

Sous le préau, la cloche retentit et les élèves s'alignèrent en rangs devant les professeurs qui faisaient l'appel. Nous étions trois à porter des lunettes, ce n'était pas beaucoup. J'appartenais au groupe 6C, et une fois encore, j'étais le plus petit. On avait eu le mauvais goût de me faire naître en décembre, mes parents se réjouissaient que j'aie toujours six mois d'avance, ça les flattait, moi je m'en désolais à chaque rentrée.

Être le plus petit de la classe, ça signifiait : nettoyer le tableau, ranger les craies, regrouper les tapis dans la salle de sport, aligner les ballons de basket sur l'étagère trop haute et, le pire du pire, devoir poser tout seul, assis en tailleur au premier rang sur la photo de classe ; il n'y a aucune limite à l'humiliation quand on est à l'école.

Tout cela aurait été sans conséquence s'il n'y avait pas eu, dans le groupe 6C, le dénommé Marquès, une terreur, mon parfait opposé.

Si j'avais quelques mois d'avance dans ma scolarité – au grand bonheur de mes parents –, Marquès avait deux ans de retard et ses parents à lui s'en fichaient totalement. Du moment que l'école occupait leur fils, qu'il déjeunait à la cantine et ne réapparaissait qu'à la fin de la journée, ils s'en satisfaisaient.

Je portais des lunettes, Marquès avait des yeux de lynx. Je mesurais dix centimètres de moins que les garçons de mon âge, Marquès dix de plus, ce qui créait une différence d'altitude notoire entre lui et moi ; je détestais le basket-ball, Marquès n'avait qu'à s'étirer pour placer le ballon dans le panier ; j'aimais la poésie, lui le sport, non que les deux soient incompatibles, mais tout de même ; j'aimais observer les sauterelles sur le tronc des arbres, Marquès adorait les capturer pour leur arracher les ailes.

Nous avions pourtant deux points en commun, un seul en fait : Élisabeth ! Nous étions amoureux d'elle, et Élisabeth n'avait d'yeux pour aucun de nous. Cela aurait pu créer une sorte de complicité entre Marquès et moi, ce fut hélas la rivalité qui prit le dessus.

Élisabeth n'était pas la plus jolie fille de l'école, mais elle était de loin celle qui avait le plus de charme. Elle avait une façon bien à elle de nouer ses cheveux, ses gestes étaient simples et gracieux et son sourire suffisait à éclairer les plus tristes journées d'automne, quand la pluie tombe sans cesse, quand vos chaussures détrempées font flic floc sur le macadam, ces journées où les réverbères éclairent la nuit sur le chemin de l'école, matin et soir.

Mon enfance était là, désolée, dans cette petite ville de province où j'attendais désespérément qu'Élisabeth daigne me regarder, où j'attendais désespérément de grandir.

1

Il a suffi d'une journée pour que Marquès me prenne en grippe. Une petite journée pour que je commette l'irréparable. Notre professeur d'anglais, Mme Schaeffer, nous avait expliqué que le prétérit simple correspondait d'une manière générale à un passé révolu n'ayant plus de relation avec le présent qui n'a pas duré et que l'on peut parfaitement situer dans le temps. La belle affaire !

Aussitôt dit, Mme Schaeffer me désigna du doigt, me demandant d'illustrer son propos par un exemple de mon choix. Lorsque je suggérai que ce serait drôlement chouette que l'année scolaire fût au prétérit, Élisabeth laissa échapper un franc éclat de rire. Ma blague n'ayant fait marrer que nous, j'en déduisis que le reste de la classe n'avait rien compris au sens du prétérit en anglais et Marquès en conclut que j'avais marqué des points avec Élisabeth. C'en était fait du reste de mon trimestre. À compter de ce lundi, premier jour de rentrée des classes, et plus précisément de mon cours d'anglais, j'allais vivre un véritable enfer.

J'héritai illico d'une colle de Mme Schaeffer, sentence applicable dès le samedi matin suivant. Trois heures à ramasser les feuilles dans la cour. Je déteste l'automne !

Le mardi et le mercredi, j'eus droit à une série de croche-pattes de la part de Marquès. Chaque fois que je m'étalais de tout mon long, le même Marquès récupérait son retard dans la course à celui qui faisait le plus rire les autres. Il prit même une certaine avance, mais Élisabeth ne trouvait pas cela drôle et son appétit de vengeance était loin d'être rassasié.

Le jeudi, Marquès passa à la vitesse supérieure, et moi, l'heure du cours de maths cloîtré dans mon casier, dont il avait cadenassé la porte après m'y avoir fait entrer de force. Je soufflai la combinaison au gardien qui balayait les vestiaires et avait fini par m'entendre tambouriner. Pour ne pas m'attirer plus d'ennuis en passant pour un cafteur, je jurai m'être bêtement enfermé tout seul en cherchant à me cacher. Le gardien, intrigué, me demanda comment j'avais pu verrouiller le cadenas depuis l'intérieur, je fis semblant de ne pas avoir entendu la question et filai à toutes jambes. J'avais manqué l'appel. Ma colle du samedi fut prolongée d'une heure par le professeur de mathématiques.

Le vendredi fut la pire journée de ma semaine. Marquès expérimenta sur moi les principes élémentaires de la loi de la gravitation de Newton apprise au cours de physique de 11 heures.

La loi de l'attraction universelle, découverte par

Isaac Newton, explique en gros que deux corps ponctuels s'attirent avec une force proportionnelle à chacune de leurs masses, et inversement proportionnelle au carré de la distance qui les sépare. Cette force a pour direction la droite passant par le centre de gravité de ces deux corps.

Voilà pour l'énoncé qu'on peut lire dans le manuel. Dans la pratique, c'est une autre histoire. Prenez un individu qui subtiliserait une tomate à la cantine, avec une autre intention que de la manger ; attendez que sa victime se trouve à une distance raisonnable, qu'il applique une poussée sur ladite tomate avec toute la force contenue dans son avant-bras et vous verrez qu'avec Marquès la loi de Newton ne s'applique pas tel que prévu. J'en veux pour preuve que la direction empruntée par la tomate ne suivit pas du tout la droite passant par le centre de gravité de mon corps ; elle atterrit directement sur mes lunettes. Et au milieu des rires qui envahissaient le réfectoire, je reconnus celui d'Élisabeth, si franc et si joli, et ça me fila un sérieux cafard.

Ce vendredi soir, tandis que ma mère me répétait, sur un ton sous-entendant qu'elle avait toujours raison, « Tu vois que tout s'est bien passé », je déposai mon bulletin de colle sur la table de la cuisine, annonçai que je n'avais pas faim et montai me coucher.

*

Le samedi matin en question, pendant que les copains prenaient leur petit déjeuner devant la télévision, moi je pris le chemin du collège.

La cour était déserte, le gardien replia mon bulletin de colle dûment signé et le rangea dans la poche de sa blouse grise. Il me remit une fourche, me demanda de prendre garde à ne pas me blesser, et désigna un tas de feuilles et une brouette au pied du panier de basket, dont le filet m'apparaissait tel l'œil de Caïn, ou plutôt celui de Marquès.

Je me débattais avec mon tas de feuilles mortes depuis une bonne demi-heure, quand le gardien vint enfin à ma rescousse.

– Mais, je te reconnais, c'est toi qui t'étais enfermé dans ton casier, n'est-ce pas ? Se faire coller le premier samedi de la rentrée, c'est presque aussi fort que le coup du cadenas verrouillé depuis l'intérieur, me dit-il en m'ôtant la fourche des mains.

Il la planta d'un geste assuré dans le monticule et souleva plus de feuilles que je n'avais réussi à en récolter depuis que j'étais à la tâche.

– Qu'est-ce que tu as fait pour mériter cette punition ? demanda-t-il en remplissant la brouette.

– Une erreur de conjugaison ! marmonnai-je.

– Mmm, je ne peux pas te blâmer, la grammaire n'a jamais été mon fort. Tu ne sembles pas très doué non plus pour le balayage. Est-ce qu'il y a quelque chose que tu sais bien faire ?

Sa question me plongea dans une réflexion abyssale. J'avais beau tourner et retourner le problème dans ma tête, impossible de m'attribuer le moindre talent, et je compris soudain pourquoi mes parents accordaient tant d'importance à ces fameux six mois d'avance : je ne possédais rien d'autre pour les rendre fiers de leur progéniture.

– Il doit bien y avoir quelque chose qui te passionne, que tu aimerais faire plus que tout, un rêve à accomplir ? ajouta-t-il en ramassant un second tas de feuilles.

– Apprivoiser la nuit ! balbutiai-je.

Le rire d'Yves, c'était le prénom du gardien, résonna si fort que deux moineaux abandonnèrent leur branche pour s'enfuir à tire-d'aile. Quant à moi, je partis tête basse, mains dans les poches, à l'autre bout de la cour. Yves me rattrapa en chemin.

– Je ne voulais pas me moquer, c'est juste que ta réponse est un peu surprenante, voilà tout.

L'ombre du panier de basket s'étirait dans la cour. Le soleil était loin d'avoir atteint son zénith, et ma punition loin d'être achevée.

– Et pourquoi voudrais-tu apprivoiser la nuit ? C'est vraiment une drôle d'idée !

– Vous aussi quand vous aviez mon âge, elle vous terrorisait. Vous demandiez même qu'on ferme les volets de votre chambre pour que la nuit n'entre pas.

Yves me dévisagea, stupéfait. Ses traits avaient changé, son air bienveillant avait disparu.

– Un, ce n'est pas vrai, et deux, comment tu peux savoir ça ?

– Si c'est pas vrai, qu'est-ce que ça peut bien faire ? répliquai-je en reprenant ma route.

– La cour n'est pas bien grande, tu n'iras pas loin,

me dit Yves en me rejoignant, et tu n'as pas répondu à ma question.

– Je le sais, c'est tout.

– D'accord, c'est vrai que j'avais très peur de la nuit, mais je n'ai jamais raconté ça à personne. Alors si tu me dis comment tu l'as appris et si tu me jures de garder le secret, je te laisserai filer à 11 heures au lieu de midi.

– Tope là ! dis-je en tendant la paume de ma main.

Yves me topa dans la main et me regarda fixement. Je n'avais pas la moindre idée de la façon dont j'avais appris que le gardien redoutait tant la nuit quand il était enfant. J'avais peut-être simplement plaqué sur lui mes propres peurs. Pourquoi les adultes ont-ils besoin de trouver une explication à chaque chose ?

– Viens, allons nous asseoir, ordonna Yves en désignant le banc près du panier de basket.

– J'aimerais mieux qu'on aille ailleurs, répondis-je en montrant le banc qui se trouvait à l'opposé.

– Va pour ton banc !

Comment lui expliquer que juste avant, alors que nous étions côte à côte au milieu de la cour, il m'était apparu, à peine plus âgé que moi ? Je ne sais ni comment ni pourquoi ce phénomène s'était produit, seulement que le papier peint de sa chambre était jauni, que le parquet de la maison où il vivait craquait et que ça aussi, ça lui fichait une trouille bleue dès la nuit venue.

– Je ne sais pas, dis-je, un peu effrayé, je crois que je l'ai imaginé.

Nous sommes restés tous deux assis sur ce banc un long moment, en silence. Puis Yves a soupiré et m'a tapoté le genou avant de se lever.

– Allez, tu peux filer, nous avons fait un pacte, il est 11 heures. Et tu gardes ce secret pour toi, je ne veux pas que les élèves se moquent de moi.

Je saluai le concierge et je rentrai chez moi, avec une heure d'avance sur l'horaire prévu, me demandant comment papa m'accueillerait. Il était revenu tard de voyage la veille au soir et à l'heure qu'il était, maman avait dû lui expliquer pourquoi je n'étais pas à la maison. De quelle autre punition allais-je hériter pour avoir été collé le premier samedi de la rentrée ? Pendant que je ressassais ces sombres pensées sur le chemin du retour, quelque chose de surprenant me frappa. Le soleil était haut dans le ciel et je trouvai mon ombre étrangement grande, bien plus balèze que d'habitude. Je m'arrêtai un instant pour y regarder de plus près ; ses formes ne me correspondaient pas, comme si ce n'était pas mon ombre qui me devançait sur le trottoir, mais celle d'un autre. Je l'observai en détail et, à nouveau, je vis soudain un moment d'enfance qui ne m'appartenait pas.

Un homme m'entraînait au fond d'un jardin qui m'était inconnu, il ôtait sa ceinture et me donnait une sérieuse correction.

Même furieux, jamais mon père n'aurait levé la main sur moi. J'ai cru deviner alors de quelle mémoire resurgissait ce souvenir. Ce qui m'est venu à l'esprit était totalement improbable, pour ne pas dire complètement impossible. J'ai accéléré le pas, mort de trouille, bien décidé à rentrer au plus vite.

Mon père m'attendait dans la cuisine ; lorsqu'il m'entendit poser mon cartable dans le salon, il m'appela aussitôt, sa voix était grave.

Pour cause de mauvaise note, de chambre en désordre, de jouets démontés, de pillage nocturne du frigo, de lectures tardives à la lampe de poche, le petit poste de radio de ma mère collé sous l'oreiller, sans parler du jour où j'avais rempli mes poches au rayon bonbons du supermarché pendant que maman ne faisait pas attention à moi, contrairement au vigile, j'avais réussi à provoquer dans ma vie quelques fameux orages paternels. Mais je connaissais certaines ruses, dont un sourire contrit irrésistible, qui savaient repousser les plus violentes tempêtes.

Cette fois, je n'eus pas à en user, papa n'avait pas l'air fâché, juste triste. Il me demanda de m'asseoir en face de lui à la table de la cuisine et prit mes mains dans les siennes. Notre conversation dura dix minutes, pas plus. Il m'expliqua tout un tas de choses sur la vie, que je comprendrais quand j'aurais son âge. Je n'en ai retenu qu'une : il allait quitter la maison. Nous continuerions à nous voir aussi souvent que possible, mais il fut incapable de m'en dire plus sur ce qu'il entendait par « possible ».

Papa se leva et me demanda d'aller réconforter maman dans sa chambre. Avant cette conversation, il aurait dit « notre chambre », désormais, ce ne serait plus que celle de maman.

J'obéis aussitôt et grimpai à l'étage. Je me retournai sur la dernière marche, papa avait une petite valise à la main. Il me fit un signe en guise d'au revoir et la porte de la maison se referma derrière lui.

Je ne devais plus revoir mon père avant de devenir adulte.

*

J'ai passé le week-end avec maman, faisant semblant de ne pas entendre son chagrin. Maman ne disait rien, parfois elle soupirait et aussitôt ses yeux s'emplissaient de larmes, alors elle se retournait pour que je ne la voie pas.

Au milieu de l'après-midi, nous nous sommes rendus au supermarché. J'avais remarqué depuis longtemps que lorsque maman avait le cafard, nous allions faire des courses. Je n'ai jamais compris comment un paquet de céréales, des légumes frais ou des collants neufs pouvaient faire du bien au moral... Je la regardais s'affairer dans les rayonnages, me demandant si elle se souvenait que j'étais à côté d'elle. Le caddie plein et le porte-monnaie vide, nous sommes rentrés à la maison. Maman a passé un temps infini à ranger les provisions.

Ce jour-là, maman a fait un gâteau, un quatre-quarts aux pommes nappé de sirop d'érable. Elle a mis deux couverts sur la table de la cuisine, a descendu la chaise de mon père à la cave et elle est remontée s'asseoir en face de moi. Elle a ouvert le tiroir près de la gazinière, sorti le paquet de bougies usées que j'avais soufflées à mon anniversaire, en a planté une au milieu du gâteau et l'a allumée.

– C'est notre premier dîner en amoureux, m'a-t-elle dit en souriant, il faudra que nous nous en souvenions toujours toi et moi.

Quand j'y repense, mon enfance était truffée de premières fois.

Ce gâteau aux pommes et au sirop d'érable a été notre repas du soir. Maman a pris ma main et l'a serrée dans la sienne.

– Et si tu me racontais ce qui ne va pas à l'école, m'a-t-elle demandé.

*

Le chagrin de maman avait tellement occupé mes pensées que j'en avais oublié mes mésaventures du samedi. J'y repensai sur le chemin de l'école, espérant que Marquès aurait passé un week-end bien meilleur que le mien. Qui sait, avec un peu de chance, il n'aurait plus besoin d'un souffre-douleur.

La file de la section 6C était déjà formée sous le préau et l'appel n'allait pas tarder à commencer. Élisabeth était juste devant moi, elle portait un petit pull bleu marine et une jupe à carreaux qui descendait jusqu'aux genoux. Marquès s'est retourné et m'a lancé un sale regard. Le cortège d'élèves est entré dans l'établissement en file indienne.

Pendant le cours d'histoire, alors que Mme Henry nous racontait les circonstances dans lesquelles Toutankhamon avait perdu la vie, à croire qu'elle se trouvait près de lui au moment de sa mort, je pensais à la récréation non sans appréhension.

La cloche allait sonner à 10 h 30, l'idée de me

retrouver dans la cour avec Marquès ne m'enchantait pas vraiment, mais j'étais bien obligé de suivre les copains.

Je m'étais isolé sur le banc où j'avais taillé un brin de conversation avec le gardien pendant ma colle, juste avant de rentrer à la maison pour apprendre que mon père nous quittait, lorsque Marquès est venu s'asseoir à côté de moi.

– Je t'ai à l'œil, me dit-il en m'empoignant par l'épaule. Ne t'avise pas de te présenter à l'élection du délégué de classe, je suis le plus vieux et c'est à moi que revient ce poste. Si tu veux que je te fiche la paix, un conseil, fais-toi discret, et puis ne t'approche pas d'Élisabeth, je dis ça pour ton bien. Tu es trop jeune, tu n'as aucune chance, alors inutile d'espérer, tu te ferais de la peine pour rien, petit crétin.

Il faisait beau ce matin-là dans la cour de récréation, je m'en souviens parfaitement, et pour cause ! Nos deux ombres se côtoyaient sur le bitume. Celle de Marquès mesurait un bon mètre de plus que la mienne, question de proportions, c'est mathématique. Je me suis déplacé subrepticement pour que mon ombre prenne le dessus. Marquès ne se rendait compte de rien, moi ce petit jeu m'amusait. Pour une fois c'était moi le plus fort, ça ne coûte rien de rêver. Marquès, qui continuait de me massacrer l'épaule, vit Élisabeth passer près du marronnier à quelques mètres de nous. Il se leva et me donna l'ordre de ne pas bouger, me laissant enfin tranquille.

Yves sortit de la remise où il rangeait son matériel.

Il s'avança vers moi, et me regarda d'un air si sérieux que je me suis demandé ce que j'avais encore bien pu faire.

– Je suis désolé pour ton père, me dit-il. Tu sais, avec le temps, les choses finiront peut-être par s'arranger.

Comment pouvait-il déjà connaître la nouvelle ? Le départ de mon père ne faisait quand même pas la une de la gazette du village.

La vérité, c'est que dans les petites villes de province, tout se sait, aucun ragot n'échappe aux uns, avides du malheur des autres. Quand j'ai pris conscience de ça, la réalité du départ de papa m'est retombée une deuxième fois sur les épaules, tel un fardeau. Sûr que, dès le soir même, on en parlerait dans toutes les maisons des élèves de ma classe. Les uns rendraient ma mère responsable, pour les autres ce serait la faute de papa. Dans tous les cas, je serais le fils incapable d'avoir rendu son père suffisamment heureux pour l'empêcher de partir.

L'année commençait franchement mal.

– Tu t'entendais bien avec lui ? me demanda Yves.

J'ai répondu oui d'un hochement de tête tout en regardant fixement le bout de mes chaussures.

– La vie est mal faite, moi mon père était un salaud. J'aurais tellement aimé qu'il quitte la maison. Je suis parti avant lui, pour ne pas dire à cause de lui.

– Papa n'a jamais levé la main sur moi ! rétorquai-je pour éviter tout malentendu.

– Le mien non plus, répliqua le gardien.

– Si vous voulez qu'on devienne copains, il faut se dire la vérité. Je sais bien que votre père vous frappait, il vous entraînait au fond du jardin pour vous donner une rouste avec sa ceinture.

Mais qu'est-ce qui m'avait pris de dire ça ? Je ne savais pas comment ces paroles étaient sorties de ma bouche. Peut-être que j'avais eu besoin d'avouer à Yves ce que j'avais vu ce fameux samedi alors que je rentrais de ma colle. Il me regarda droit dans les yeux.

– Qui t'a raconté ça ?

– Personne, répondis-je confus.

– Tu es soit un fouineur, soit un menteur.

– Je ne suis pas un fouineur ! Et vous, qui vous a dit pour mon père ?

– Je portais le courrier à Mme la directrice quand ta maman a appelé pour prévenir. La directrice était si consternée en raccrochant qu'elle en parlait à voix haute, répétant « Ces hommes, quels salauds, des vrais salauds ». Quand elle a pris conscience que je me trouvais en face d'elle, elle s'est sentie obligée de s'excuser. « Pas vous Yves », elle m'a dit. « Bien sûr pas vous », elle a même répété. Tu parles, elle pense pareil de moi, elle pense pareil de nous tous ; à ses yeux on est des salauds, mon petit, suffit d'être un homme pour appartenir au mauvais clan. Si tu avais vu comme elle était malheureuse quand l'école est devenue mixte. C'est bien connu, les hommes trompent leurs femmes, et on se demande avec qui ? Avec qui, sinon avec des femmes qui trompent aussi leurs hommes ? Et je sais de quoi je parle. Tu verras, quand tu seras grand.

J'aurais voulu faire croire à Yves que je ne savais pas de quoi il parlait, mais je venais de lui dire que notre camaraderie ne pourrait se construire sur le mensonge. Je savais parfaitement de quoi il parlait, depuis le jour où maman avait trouvé un tube de rouge à lèvres dans la poche du manteau de papa et que papa avait prétendu qu'il n'avait aucune idée de la façon dont il était arrivé là, jurant que c'était sûrement une mauvaise blague d'un copain de bureau. Papa et maman s'étaient disputés toute la nuit et j'en avais plus appris en un soir sur l'infidélité qu'avec tout ce que j'avais pu entendre dans les séries que maman regardait à la télé. Même sans image, c'est beaucoup plus authentique quand les acteurs du drame jouent dans la chambre à côté de la vôtre.

– Bon, je t'ai dit comment j'ai su pour ton père, reprit Yves, maintenant à ton tour.

La cloche sonnait la fin de la récré ; Yves a grommelé quelques mots et m'a ordonné de filer en cours. Il a ajouté que nous n'en avions pas fini, tous les deux. Il est reparti vers sa remise et moi vers ma classe.

Je marchai face au soleil et me retournai soudain ; l'ombre qui me suivait était à nouveau toute petite, celle qui devançait le gardien, bien plus grande. En ce début de semaine, une chose au moins était redevenue normale et ça me rassurait terriblement. Maman avait peut-être raison, j'avais trop d'imagination et ça me jouait parfois des sales tours.

*

Je n'écoutai rien en cours d'anglais. D'abord je n'avais pas pardonné à Mme Schaeffer de m'avoir collé et puis de toute façon j'avais l'esprit ailleurs. Pourquoi ma mère avait-elle téléphoné à la directrice pour lui raconter sa vie, notre vie ? Elles n'étaient pas meilleures amies que je sache, et je trouvais ce genre de confidence tout à fait déplacé. Est-ce qu'elle imaginait les conséquences pour moi quand la nouvelle se répandrait ? Je n'avais plus aucune chance avec Élisabeth. En supposant qu'elle aime les garçons à lunettes et de petite taille, ce qui déjà était une supposition relativement optimiste, qu'elle soit attirée par le contraire d'un Marquès, genre grand type baraqué et assez sûr de lui, comment pourrait-elle rêver d'un avenir avec quelqu'un dont le père avait quitté la maison pour toutes les raisons qu'on connaissait, la principale étant que son fils ne valait pas la peine de rester ?

J'ai ruminé cette pensée à la cantine, en cours de géographie, à la récréation de l'après-midi et sur le chemin de la maison. En rentrant chez moi, j'étais bien décidé à expliquer à ma mère la gravité du pétrin dans lequel elle m'avait fourré. Mais en tournant la clé dans la serrure, je me dis que ce serait trahir Yves ; ma mère rappellerait la directrice dès le lendemain pour lui reprocher de n'avoir pas su garder le secret, la directrice n'aurait pas besoin de mener une grande enquête pour découvrir l'origine de la fuite. En compromettant le gardien, je compromettais aussi les chances que notre camaraderie devienne un jour une belle amitié, et ce qui me manquait le plus dans cette nouvelle école, c'était un ami. Qu'Yves ait trente ou quarante ans de plus que moi m'était bien égal. Lorsque je lui avais mystérieusement chapardé son ombre, j'avais ressenti qu'il était digne de confiance. Il faudrait que je trouve un autre moyen de confondre ma mère.

Nous avons dîné devant la télé, maman n'était pas d'humeur à me faire la conversation. Depuis le départ de papa, elle ne parlait presque plus, comme si les mots étaient devenus trop difficiles à prononcer.

En allant me coucher, j'ai repensé à ce qu'Yves m'avait expliqué à la récréation : avec le temps les choses finissent parfois par s'arranger. Peut-être que dans quelque temps maman reviendrait me dire bonsoir dans ma chambre, comme avant. Cette nuit-là, même les rideaux tirés sur la fenêtre entrouverte sont restés immobiles, plus rien n'osait déranger le silence qui régnait dans la maison, même pas une ombre dans les plis du tissu.

*

On pourrait croire que le cours de ma vie changea avec le départ de mon père, mais ce ne fut pas le cas. Papa rentrant souvent tard du bureau, j'avais depuis longtemps pris l'habitude de passer mes soirées en tête à tête avec ma mère. La promenade dominicale que nous faisions à bicyclette me manquait, mais je la remplaçai très vite par les dessins animés que maman me laissait regarder pendant qu'elle lisait son journal. À nouvelle vie, nouvelles habitudes ; nous allions partager un hamburger au restaurant du coin et nous nous promenions ensuite dans les rues commerçantes. Les boutiques étaient fermées, mais maman ne semblait pas toujours s'en rendre compte.

À l'heure du goûter, elle me proposait invariablement d'inviter des copains à la maison. Je haussais les épaules et lui promettais de le faire... plus tard.

Il avait plu tout octobre. Les marronniers avaient perdu leurs feuilles et les oiseaux se faisaient rares sur les branches dénudées. Bientôt leur chant se tut complètement, l'hiver ne tarderait pas.

Chaque matin, je guettais l'apparition d'un rayon de soleil, mais il me fallut attendre la mi-novembre pour qu'il perce enfin la couche des nuages.

*

Aussitôt le ciel redevenu bleu, notre professeur de sciences naturelles organisa une sortie en plein air. Il ne restait que quelques jours pour aller collecter de quoi élaborer un herbier digne de ce nom.

Un autocar affrété pour l'occasion nous déposa en lisière de la forêt qui borde notre petite ville. Nous voilà, la section 6C au grand complet, affrontant l'humus et la terre glissante pour ramasser toutes sortes de végétaux, feuilles, champignons, herbes hautes et mousses aux couleurs changeantes. Marquès guidait la marche, tel un sergent-chef. Les filles de la classe rivalisaient de simagrées pour attirer son attention, mais pas un instant il ne quitta Élisabeth des yeux. À l'écart des autres, elle faisait celle qui ne s'en rendait pas compte, mais je n'étais pas dupe et je compris, déçu, qu'elle en était bien contente.

Pour avoir prêté trop d'attention au pied d'un grand chêne où poussait une amanite au chapeau digne de la coiffe d'un Schtroumpf, je me retrouvai à la traîne et isolé du groupe. En d'autres termes, j'étais perdu. J'entendis au loin notre professeur crier mon prénom, mais impossible d'identifier d'où venaient ses appels.

Je tentai de rejoindre le groupe, mais je dus vite me rendre à l'évidence, soit la forêt était sans fin, soit je tournais en rond. Je levai la tête vers les cimes des érables, le soleil déclinait et je commençais à avoir une sacrée trouille.

Tant pis pour mon amour-propre, je hurlai de toutes mes forces. Les copains devaient se trouver à bonne distance, car aucune voix ne faisait écho à mes appels au secours. Je m'assis sur la souche d'un chêne et me mis à penser à ma mère. Qui lui tiendrait compagnie le soir si je ne rentrais pas ? Est-ce qu'elle allait croire que j'étais parti comme papa ? Lui, au moins, l'avait prévenue. Jamais elle ne me pardonnerait de l'avoir abandonnée ainsi, surtout au moment où elle avait le plus besoin de moi. Même s'il lui arrivait d'oublier ma présence quand nous parcourions ensemble les allées du supermarché, même si elle ne m'adressait plus souvent la parole à cause des mots trop difficiles à prononcer, ou si elle ne venait plus me dire bonsoir dans ma chambre, je savais qu'elle serait très malheureuse. Mince, j'aurais dû penser à tout ça avant de rêvasser devant ce stupide champignon. Si je le retrouvais, je le décoifferais d'un bon coup de pied pour m'avoir joué ce mauvais tour.

– Mais bon sang, qu'est-ce que tu fiches, imbécile ?

C'était bien la première fois depuis la rentrée que j'étais content de voir la tête de Marquès, elle apparut entre deux hautes fougères.

– Le prof de sciences est dans tous ses états, il était prêt à organiser une battue, je lui ai dit que j'allais te retrouver. Quand on va à la chasse, mon paternel n'arrête pas de me dire que j'ai un don pour dénicher le mauvais gibier. Je vais finir par croire qu'il a raison. Tu te dépêches, oui ! Tu devrais voir ta tête, je suis sûr que si j'avais attendu encore un peu je t'aurais surpris en larmes comme une mauviette.

Pour me balancer ces bonnes paroles, Marquès s'était agenouillé face à moi. Le soleil était dans son dos et auréolait sa tête, ce qui lui donnait un air encore plus menaçant que d'habitude. Il avait collé son visage si près du mien que je pouvais sentir les relents de son chewing-gum. Il s'est redressé et m'a donné un coup sur le bras.

– Alors, on y va ou tu préfères passer la nuit ici ?

Je me suis levé sans rien dire et je l'ai laissé faire quelques pas en avant.

C'est lorsqu'il s'est éloigné que je me suis rendu compte que quelque chose clochait. L'ombre que je traînais derrière moi devait mesurer un bon mètre de plus que la normale, celle de Marquès était toute petite, si petite que j'en ai déduit qu'il ne pouvait s'agir que de la mienne.

Si après m'avoir sauvé Marquès découvrait que j'en avais profité pour lui piquer son ombre, ce n'était plus mon trimestre mais ma scolarité tout entière qui serait foutue, jusqu'à l'examen de sortie à mes dix-huit ans. Pas besoin d'être doué en calcul mental pour savoir que ça représentait un paquet de journées à vivre un cauchemar éveillé.

Je lui ai emboîté le pas aussitôt, bien décidé à ce que nos ombres se chevauchent à nouveau pour que tout redevienne normal comme avant, avant que papa ne quitte la maison. Tout ça n'avait aucun sens, on ne confisque pas l'ombre de quelqu'un comme ça ! C'était pourtant bien ce qui venait de se produire, pour la deuxième fois. L'ombre de Marquès s'était superposée à la mienne et, lorsqu'il s'était éloigné de moi, elle était restée accrochée au bout de mes pieds. Mon cœur battait la chamade, j'avais les jambes en coton.

Nous avons traversé la clairière vers le chemin où le professeur de sciences naturelles et les copains nous attendaient. Marquès levait les bras au ciel en signe de victoire, il avait l'air d'un chasseur et moi du trophée qu'il traînait derrière lui. Le professeur nous faisait de grands signes, pour que l'on se dépêche. Le bus attendait. Je sentais que j'allais encore en prendre pour mon grade. Les copains nous dévisageaient et je devinais les moqueries dans leurs regards. Au moins ce soir-là, ils auraient une autre histoire à raconter chez eux que les problèmes de couple de mes parents.

Élisabeth était déjà assise dans le bus, à la même place qu'à l'aller. Elle ne regardait même pas par la vitre, ma disparition n'avait pas dû beaucoup l'inquiéter. Le soleil glissait un peu plus vers la ligne d'horizon, nos ombres s'effaçaient petit à petit, devenant à peine visibles. Tant mieux, personne ne remarquerait ce qui s'était produit dans la forêt.

Je grimpai dans le bus, l'air penaud. Le prof de sciences me demanda comment j'avais fait pour me perdre et me confia que je lui avais fichu une peur bleue, mais il avait l'air content que tout se soit bien terminé, on en resterait là. Je suis allé m'asseoir sur la banquette du fond et je n'ai plus dit un mot de tout le retour. De toute façon, je n'avais rien à dire, je m'étais perdu, voilà tout, ça arrive aux meilleurs. J'avais vu à la télévision un documentaire sur des alpinistes chevronnés qui s'étaient égarés dans la montagne, et moi je n'ai jamais prétendu être un randonneur chevronné.

Lorsque je suis rentré à la maison, maman m'attendait dans le salon. Elle m'a pris dans ses bras et m'a serré très fort, presque trop fort à mon goût.

– Tu t'es perdu ? dit-elle en me caressant la joue.

Elle devait être reliée par talkie-walkie avec la directrice de l'école, c'était pas possible autrement que les informations à mon sujet circulent aussi vite.

Je lui ai expliqué ma mésaventure, elle a tenu absolument à ce que je prenne un bain chaud. J'avais beau lui répéter que je n'avais pas eu froid, elle ne voulait rien entendre. À croire que ce bain allait nous laver de tous les tracas qui s'étaient abattus sur nos vies : pour elle le départ de papa et pour moi l'arrivée de Marquès.

Pendant qu'elle me frictionnait les cheveux avec un shampoing qui me piquait les yeux, je fus bien tenté de lui parler de mon problème avec les ombres, mais je savais qu'elle ne me prendrait pas au sérieux, elle m'accuserait encore d'affabuler, alors j'ai préféré me taire en espérant qu'il ferait mauvais temps le lendemain, les ombres resteraient ainsi voilées par la grisaille du ciel.

Au dîner, j'ai eu droit à du rosbif et des frites, je devrais penser à me perdre plus souvent en forêt.

*

Maman entra dans ma chambre à 7 heures du matin. Le petit déjeuner était prêt, je n'avais plus qu'à faire ma toilette, à m'habiller et à descendre illico si je ne voulais pas être en retard. En fait, j'aurais bien aimé arriver en retard à l'école, j'aurais même adoré ne plus y aller du tout. Maman m'annonça qu'il allait faire une très belle journée, et ça la mettait de bonne humeur. J'entendis ses pas dans l'escalier et je m'enfouis aussitôt sous ma couette. J'ai supplié mes pieds d'arrêter de n'en faire qu'à leur tête, je les ai suppliés de ne plus voler d'ombres et surtout de rendre la sienne à Marquès dès que possible. Bien sûr, parler à ses pieds au petit matin ça peut paraître bizarre, mais il faut se mettre à ma place pour comprendre ce que j'endurais.

Mon cartable solidement accroché dans le dos, je marchais vers l'école en réfléchissant à mon problème. Pour procéder à l'échange incognito, il fallait encore que l'ombre de Marquès et la mienne se chevauchent à nouveau ; ce qui signifiait aussi que je devais trouver un prétexte pour m'approcher de Marquès et lui adresser la parole.

La grille de l'école était à quelques mètres, j'inspirai un grand coup avant d'entrer. Marquès était assis sur le dossier du banc, entouré des copains qui l'écoutaient raconter ses histoires. Le dépôt des candidatures à l'élection du délégué de classe avait été fixé à la fin de la journée, il était en pleine campagne électorale.

J'avançai vers le groupe. Marquès avait dû sentir ma présence car il s'était retourné et me lançait un mauvais regard.

– Qu'est-ce que tu veux ?

Les autres guettaient ma réponse.

– Te remercier pour hier, dis-je en balbutiant.

– Eh bien c'est fait, maintenant tu peux aller jouer aux billes, m'a-t-il répondu tandis que les copains ricanaient.

Je ressentis alors une force dans mon dos, une force qui me poussait à faire trois pas vers lui au lieu de me retirer comme il me l'avait ordonné.

– Quoi encore ? demanda-t-il en haussant le ton.

Je jure que ce qui s'est passé ensuite n'était pas prévu, que je n'avais pas prémédité une seconde ce que j'allais pourtant dire d'une voix assurée qui me surprit moi-même.

– J'ai décidé de me présenter à l'élection du délégué de classe, je préférais que les choses soient claires entre nous !

La force me poussait maintenant en sens inverse, cette fois en direction du préau vers lequel j'avançais, comme un soldat droit dans ses bottes.

Pas un bruit derrière moi. Je m'attendais à entendre des ricanements, seule la voix de Marquès brisa le silence.

– Alors, c'est la guerre, dit-il. Tu vas le regretter.

Je ne me retournai pas.

Élisabeth, qui ne s'était pas mêlée au groupe, croisa mon chemin et me chuchota que Marquès lui tapait sur les nerfs, puis elle s'éloigna en faisant comme si de rien n'était. J'estimai que ma durée de vie n'irait pas au-delà de la prochaine récréation.

Et à la récréation, le soleil pointait au-dessus de la cour. Je regardais les élèves qui commençaient une partie de basket, quand j'ai vu s'allonger devant mes pieds ce que je redoutais tant. Non seulement mon ombre était trop grande pour être la mienne, mais je ne me sentais plus tout à fait le même. Combien de temps avant que quelqu'un s'en aperçoive et révèle ce secret qui me terrorisait ? Par mesure de précaution, j'ai regagné le préau. Luc, le fils du boulanger, qui s'était cassé la jambe pendant les vacances et portait encore une attelle, m'a fait signe de venir le rejoindre. Je me suis assis près de lui.

– Je t'avais sous-estimé. C'est drôlement gonflé ce que tu viens de faire.

– C'est plutôt suicidaire, répondis-je, et puis je n'ai aucune chance.

– Si tu veux gagner, tu dois changer d'état d'esprit. Rien n'est jamais perdu d'avance, il faut avoir la volonté d'un vainqueur pour avoir ses chances, c'est mon père qui dit ça. Et puis je ne suis pas d'accord avec toi. Je suis sûr que, sous leurs airs de bons camarades, il y en a plus d'un qui ne le supportent pas.

– Qui ça ?

– Ton rival, de qui veux-tu que je parle ? En tout cas, tu peux compter sur moi, je suis de ton côté.

Cette petite conversation de rien du tout était la plus belle chose qui me soit arrivée depuis la rentrée. Ce n'était encore qu'une promesse, mais la seule idée d'avoir enfin un copain de mon âge suffisait à me faire oublier tout le reste, mon affrontement avec Marquès, mon problème d'ombre et, pendant quelques instants, j'en oubliai même que papa ne serait plus à la maison pour que je lui raconte tout ça.

Le mercredi, c'était la quille à 15 h 30. Après avoir inscrit mon nom sur la liste des candidatures punaisée sur le tableau en liège du secrétariat de l'école – j'avais remarqué à ce sujet que mon nom était le seul à figurer sous celui de Marquès –, je repris le chemin de la maison, en proposant à Luc de le raccompagner chez lui puisque nous habitions dans le même quartier.

Nous marchions l'un à côté de l'autre sur le trottoir et je redoutais qu'il se rende compte que quelque chose clochait avec nos ombres, la mienne s'étirait bien plus loin que la sienne alors que nous mesurions presque la même taille. Mais il ne prêtait aucune attention à nos pas, peut-être à cause de son attelle qui lui fichait un complexe. Les élèves l'appelaient Capitaine Crochet depuis le jour de la rentrée.

En passant à la hauteur de la pâtisserie, il me demanda si un pain au chocolat me tenterait. Je n'avais pas assez d'argent de poche pour m'en offrir un, mais ce n'était pas grave, j'avais dans mon cartable un sandwich au Nutella préparé par maman, ce serait tout aussi bon et on pouvait se le partager. Luc éclata de rire et me dit que sa mère n'avait pas l'habitude de lui faire payer ses goûters. Puis il me montra fièrement la devanture de la boulangerie. Sur la vitrine, en lettres délicatement peintes à la main, on pouvait lire « Boulangerie Shakespeare ».

Et devant mon air ahuri, il me rappela que son père était boulanger et que ça tombait bien parce que la « Boulangerie Shakespeare », c'était justement celle de ses parents.

– Tu t'appelles vraiment Shakespeare ?

– Oui, vraiment, mais aucun lien de parenté avec le père d'Hamlet, c'est juste un synonyme.

– Homonyme ! repris-je.

– Si tu veux. Bon, on le mange ce pain au chocolat ?

Luc poussa la porte du magasin. Sa maman était ronde comme une brioche, et souriante. Elle nous accueillit avec un accent qui n'était pas du coin. La maman de Luc avait une voix chantante, une voix à vous mettre tout de suite de bonne humeur, une façon de parler qui vous faisait vous sentir le bienvenu.

Elle nous proposa un pain au chocolat ou un éclair au café et, avant que nous ayons eu le temps de choisir, elle décida de nous offrir les deux. J'étais gêné, mais Luc me dit que son père en fabriquait toujours trop et que de toute façon, ce qui ne serait pas vendu en fin de journée serait bon pour la poubelle, alors autant ne pas gâcher. Nous avons dévoré notre pain au chocolat et notre éclair au café sans nous faire prier.

La maman de Luc lui demanda de garder le magasin, le temps qu'elle aille chercher la nouvelle fournée de pains dans l'atelier.

Ça me faisait un drôle d'effet de voir mon copain assis sur le tabouret derrière la caisse. Soudain, je nous imaginais avec vingt ans de plus, en habits d'adultes, lui dans la peau du boulanger et moi dans celle d'un client de passage...

Maman me dit souvent que j'ai l'imagination galopante. J'ai fermé les yeux et, étrangement, je me suis vu entrer dans cette boulangerie, j'avais une petite barbe et je tenais une sacoche à la main, peut-être que quand je serai grand, je serai médecin ou comptable ; les comptables aussi portent des sacoches. J'avance vers le présentoir et commande un éclair au café quand soudain, je reconnais mon vieux copain d'école. Je ne l'ai pas revu depuis toutes ces années, on tombe dans les bras l'un de l'autre et on partage un éclair au café et un pain au chocolat en souvenir du bon temps.

Je crois que c'est dans cette boulangerie, en regardant mon copain Luc jouer au caissier, que j'ai pris conscience, pour la première fois, que j'allais vieillir. Je ne sais pas pourquoi, mais pour la première fois aussi, je n'ai plus eu envie de quitter mon enfance, plus du tout eu envie d'abandonner ce corps que je trouvais jusque-là trop petit. Je me sentais vraiment bizarre depuis que j'avais piqué l'ombre de Marquès, il devait y avoir des effets secondaires à cet étrange phénomène et cette idée n'était pas faite pour me rassurer.

Quand la mère de Luc remonta du fournil avec une grille de petits pains chauds qui sentaient drôlement bon, Luc lui dit qu'il n'y avait eu aucun client. Elle soupira en haussant les épaules, arrangea les petits pains sur l'étagère de la vitrine et nous demanda si nous n'avions pas des devoirs. J'avais promis à maman de finir les miens avant son retour, je remerciai encore Luc et sa mère et je repris le chemin de la maison.

Au carrefour, j'ai déposé mon sandwich au Nutella sur un muret, pour le goûter des oiseaux ; je n'avais plus faim et je ne voulais surtout pas vexer ma mère en lui laissant croire que ses goûters étaient moins bons que les gâteaux de Mme Shakespeare.

Devant moi, l'ombre s'était encore allongée. Je rasais les murs, de peur de croiser un autre copain.

Arrivé à la maison, j'ai foncé dans le jardin pour étudier le phénomène de plus près. Papa dit que pour grandir il faut apprendre à affronter ses peurs, les confronter à la réalité. C'est ce que j'ai tenté de faire.

Certains passent des heures devant le miroir en espérant y voir un autre reflet que le leur, moi j'ai joué toute la fin d'après-midi avec ma nouvelle ombre et, à ma grande surprise, j'ai ressenti comme une renaissance. Pour la première fois, même si ce n'était qu'en négatif imprimé sur le sol, j'avais l'impression d'être un autre. Quand le soleil est passé derrière la colline, je me suis senti un peu seul et presque triste.

Après un dîner vite expédié, mes devoirs étaient faits et maman regardait son feuilleton préféré – elle avait décrété que la vaisselle attendrait –, j'ai pu m'échapper au grenier sans même qu'elle s'en rende compte. J'avais une idée en tête. Là-haut, dans les soupentes, il y avait une grande lucarne, ronde comme la pleine lune, et la lune était parfaitement pleine ce soir-là. Il fallait à tout prix que j'éclaircisse ce qui m'arrivait. Ce n'était pas anodin de marcher sur l'ombre de quelqu'un et de repartir avec. Puisque maman me disait que j'avais trop d'imagination, j'ai décidé d'aller vérifier ça au calme et le seul endroit où je suis vraiment au calme, c'est dans le grenier.

Là-haut, c'était mon monde à moi. Mon père n'y allait jamais, c'était trop bas de plafond, il se cognait toujours la tête et ça lui faisait dire des mots terribles, du genre « putain », « bordel » et « merde ». Parfois les trois en une seule phrase. Moi, si j'en avais dit un seul, j'en aurais pris pour mon grade, mais les adultes ont droit à des tas de trucs qui nous sont interdits. Bref, dès que j'ai été en âge de grimper au grenier, mon père m'a envoyé à sa place et j'étais ravi de lui rendre ce service. Pour être tout à fait honnête, au début le grenier me faisait un peu peur, à cause de la pénombre, mais plus tard, ça a été tout le contraire. J'adorais me faufiler au milieu des malles et des vieilles boîtes en carton.

Dans l'une d'elles, j'avais découvert une collection de photos de maman quand elle était très jeune. Maman est toujours belle mais là, elle était carrément jolie. Et puis, il y avait la boîte qui contenait les photos du mariage de mes parents. C'est fou comme ils avaient l'air de s'aimer ce jour-là.

En les regardant, je me suis demandé ce qui s'était passé : comment tout cet amour avait pu disparaître ? Et surtout, où était-il parti ? L'amour, c'est peut-être comme une ombre, quelqu'un le piétine et part avec. Peut-être que trop de lumière, c'est dangereux pour l'amour, ou alors c'est le contraire, sans lumière, l'ombre d'un amour s'efface et finit par s'en aller. J'ai piqué une photo dans l'album rangé au grenier : papa tient la main de maman sur le perron de la mairie. Maman a le ventre un peu rond, du coup, je suis un peu là moi aussi. Autour de mes parents, il y a des oncles et des tantes, des cousins et cousines que je ne connais pas et tout ce monde a l'air de s'amuser. Peut-être que je me marierai un jour moi aussi, avec Élisabeth si elle est d'accord, si je prends quelques centimètres, disons une bonne trentaine.

Dans le grenier il y avait aussi des jouets cassés, tous ceux que je n'avais pas été capable de remonter après avoir étudié de près comment ils avaient été fabriqués. Bref, au milieu du bric-à-brac de mes parents, je me sentais dans un autre univers, un univers à ma taille. Mon monde à moi se trouvait dans ma maison, mais sous les toits.

Me voilà face à la lucarne, je me tiens bien droit pour regarder la lune se lever, elle est pleine et sa lumière se pose sur les planches en bois du grenier. On voit même flotter des particules de poussière en suspension dans l'air, ça donne un côté paisible au lieu, c'est si calme ici. Ce soir, avant le retour de maman, je suis allé dans l'ancien bureau de papa pour y chercher tout ce que je pouvais lire sur les ombres. La définition de l'encyclopédie était un peu compliquée, mais grâce aux illustrations j'ai pu apprendre pas mal de trucs sur la façon de les faire apparaître, de les déplacer ou de les orienter. Mon stratagème devait fonctionner dès que la lune serait dans l'axe. Je guettais ce moment avec impatience, en espérant qu'elle serait en bonne place avant la fin du feuilleton de maman.

Enfin, ce que j'attendais s'est produit. Droit devant moi, j'ai vu l'ombre s'étirer sur les lattes du grenier. J'ai toussoté un peu, pris mon courage à deux mains et j'ai affirmé d'une voix franche ce dont j'étais désormais certain.

– Tu n'es pas mon ombre !

Je ne suis pas fou et j'avoue avoir eu sacrément peur quand j'ai entendu l'ombre me répondre dans un murmure.

– Je sais.

Silence de mort. Alors j'ai poursuivi, la bouche sèche et la gorge serrée.

– Tu es l'ombre de Marquès, c'est ça ?

– Oui, a-t-elle soufflé à mes oreilles.

Quand l'ombre s'adresse à moi, c'est un peu

comme lorsqu'on a une musique dans la tête, il n'y a pas de musicien mais on entend pourtant de façon aussi réelle que si un orchestre imaginaire jouait tout près de soi. Ça fait le même effet.

– Je t'en supplie, ne dis rien à personne, m'a dit l'ombre.

– Qu'est-ce que tu fais là ? Pourquoi moi ? ai-je demandé, inquiet.

– Je me suis évadée, tu ne t'en es pas douté ?

– Pourquoi tu t'es évadée ?

– Tu sais ce que c'est que d'être l'ombre d'un imbécile ? C'est insupportable, je n'en peux plus. Déjà quand il était petit c'était pénible, mais plus il grandit et moins je le supporte. Les autres ombres, la tienne en particulier, se moquent de moi. Si tu savais la chance qu'a ton ombre, et si tu savais aussi ce qu'elle est arrogante avec moi. Tout ça parce que tu es différent.

– Je suis différent ?

– Oublie ce que je viens de dire. Les autres ombres affirment qu'on n'a pas le choix, on est l'ombre d'une seule personne, et pour toujours. Il faudrait que cette personne change pour que votre sort s'améliore. Avec Marquès, autant te dire que le futur qui m'attend n'est pas des plus glorieux. Tu imagines ma surprise quand j'ai senti que je pouvais me détacher de lui, au moment où tu t'es retrouvé à ses côtés ? Tu as un pouvoir extraordinaire, alors je n'ai pas réfléchi, c'était le moment ou jamais de me faire la belle. J'ai un peu profité de ma taille, à force d'être l'ombre de Marquès, j'ai des excuses. J'ai poussé la tienne pour prendre sa place.

– Et mon ombre, t'en as fait quoi ?

– À ton avis ? Il fallait bien qu'elle se raccroche à quelque chose, elle est repartie avec mon ancien propriétaire. Elle doit faire une sale tête en ce moment.

– C'est dégueulasse, ce que tu as fait à mon ombre. Dès demain, je te rends à Marquès et je la récupère.

– Je t'en prie, laisse-moi rester avec toi. Je voudrais savoir ce que ça fait d'être l'ombre de quelqu'un de bien.

– Je suis quelqu'un de bien ?

– Tu peux le devenir.

– Non, c'est impossible que je te garde, les gens vont finir par se rendre compte que quelque chose ne va pas.

– Les gens ne font déjà pas attention aux autres, alors à leurs ombres... Et puis, c'est dans ma nature de rester dans l'ombre. Avec un peu d'entraînement et de complicité nous finirons bien par y arriver.

– Mais tu mesures au moins trois fois ma taille.

– Ce ne sera pas toujours le cas, ce n'est qu'une question de temps. Disons que jusqu'à ce que tu grandisses, tu devras toi aussi rester un peu dans l'ombre, mais dès que tu auras poussé, c'est moi qui t'entraînerai vers la lumière. Réfléchis, c'est un sacré avantage d'avoir l'ombre d'un grand. Sans moi, tu ne te serais jamais présenté à l'élection du délégué de classe. Qui t'a donné confiance en toi, à ton avis ?

– C'est toi qui m'as poussé ?

– Qui d'autre ? confia l'ombre.

Soudain, j'entendis la voix de ma mère me demander, du bas de l'échelle qui grimpe au grenier, avec qui je pouvais bien discuter. Je lui ai répondu sans réfléchir que je parlais avec mon ombre. Évidemment, elle a répliqué que je ferais mieux d'aller me coucher, au lieu de dire des âneries. Les adultes ne vous croient jamais quand vous leur confiez des choses sérieuses.

L'ombre a haussé les épaules, j'ai eu l'impression qu'elle me comprenait. Je me suis éloigné de la lucarne et elle a disparu.

*

J'ai fait un rêve vraiment étrange cette nuit-là. Je partais à la chasse avec mon père, et même si je n'aime pas la chasse, j'étais heureux de le retrouver. Je le suivais, mais il ne se retournait jamais et je ne pouvais pas voir son visage. L'idée de tuer des animaux ne me procurait aucun plaisir. Il m'envoyait en éclaireur à travers des champs immenses où s'élevaient de hautes herbes roussies par le soleil, que le vent faisait onduler doucement. Je devais progresser en tapant dans mes mains pour que les tourterelles s'envolent, alors il leur tirait dessus. Pour empêcher ce massacre, j'avançais le plus lentement possible. Quand je laissais filer un lapin entre mes jambes, mon père me traitait de bon à rien juste capable de lever le mauvais gibier. C'est cette phrase qui m'a fait comprendre, dans mon rêve, que cet homme au loin n'était pas mon père, mais celui de Marquès. Je me trouvais à la place de mon ennemi, et ce n'était pas une sensation agréable du tout.

Bien sûr, j'étais plus grand et je me sentais plus fort que d'habitude, mais je ressentais une profonde tristesse, comme si un chagrin m'avait envahi.

Après la chasse, nous sommes rentrés dans une maison qui n'était pas la mienne. Je me suis retrouvé assis à la table du dîner, le père de Marquès lisait son journal, sa mère regardait la télévision, personne ne s'adressait la parole. Chez nous on parlait beaucoup à table ; quand papa était là, il me demandait comment s'était passée ma journée, et depuis son départ, maman m'interrogeait à sa place. Mais les parents de Marquès se moquaient bien de savoir s'il avait fait ses devoirs. J'aurais pu trouver ça épatant, en fait c'était tout le contraire, et j'ai compris d'où venait cette peine soudaine ; même si Marquès était mon ennemi, j'étais triste pour lui, triste de l'indifférence qui régnait dans sa maison.

*

Quand le réveil a sonné, j'étais en nage. J'avais le souffle court et je me sentais aussi brûlant que par un jour de fièvre, mais soulagé que tout ça n'ait été qu'un cauchemar. Un grand frisson m'a parcouru et tout est redevenu normal. Ce matin-là, retrouver les murs de ma chambre a suffi à me rendre heureux. En faisant ma toilette, je me suis demandé si je devais raconter à ma mère ce qui m'arrivait. J'aurais voulu partager ce secret avec elle mais je devinais déjà sa réaction.

La première chose que j'ai faite en descendant dans la cuisine a été de me précipiter à la fenêtre. Le ciel était couvert, pas la moindre trace de bleu à l'horizon, même pas de quoi tailler une culotte de marin comme disait mon père, quand il se résignait à annuler sa partie de pêche. J'ai bondi sur la télécommande pour allumer la télé.

Maman ne comprenait pas pourquoi je m'intéressais autant à la météo. J'ai raconté que je préparais un exposé sur le réchauffement climatique et je lui ai demandé de bien vouloir me laisser écouter sans interrompre tout le temps la dame qui annonçait qu'un front nuageux dû à une forte zone de dépression allait s'installer dans notre région pendant plusieurs jours. Moi aussi j'allais sacrément déprimer si le soleil ne revenait pas rapidement. Avec tous ces nuages, aucune chance de voir les ombres apparaître, impossible donc de rendre la sienne à Marquès. J'ai pris mon cartable et suis parti à l'école, avec une boule au ventre.

*

Luc passait toutes les récrés assis sur le banc. Avec son attelle et sa béquille, il n'avait pas grand-chose d'autre à faire. Je l'ai rejoint et il m'a montré Marquès du doigt. Ce grand imbécile allait serrer les mains de tous les élèves de la classe et faisait semblant de s'intéresser aux discussions des filles.

– Tiens, aide-moi à marcher, j'ai la jambe tout ankylosée.

Je lui ai tendu la main et nous sommes partis faire quelques pas. Ça devait être mon jour de chance, au moment où on s'est approchés de Marquès, une minuscule éclaircie a percé le ciel obscur. J'ai regardé aussitôt le sol de la cour, c'était un véritable fouillis, toutes les ombres se chevauchaient, comme pour un conciliabule – on avait appris ce mot au cours d'histoire juste avant la récré. Marquès s'est retourné vers nous et nous a fait comprendre d'un regard que nous n'étions pas les bienvenus dans les parages. Luc a haussé les épaules.

– Viens, il faut que je te parle. Le jour du vote approche, m'a-t-il dit en s'appuyant sur sa béquille. Je te rappelle que les élections ont lieu vendredi, il serait temps que tu fasses quelque chose qui te rende un peu populaire.

Les mots de Luc avaient sonné comme une phrase d'adulte. Le regarder boiter ainsi, le dos un peu voûté, me replongea aussitôt dans un drôle de songe. Je nous voyais à nouveau tous les deux, bien plus vieux que nous ne l'étions, encore plus vieux que la dernière fois dans la boulangerie. À croire que notre amitié avait duré toute une vie. Luc n'avait presque plus de cheveux, son front dégarni remontait jusqu'au milieu du crâne. Il avait les traits tirés, la peau de son visage était flétrie, mais ses yeux bleus brillaient toujours autant, ce que je trouvais rassurant.

– Qu'est-ce que tu voudrais faire plus tard ? lui demandai-je.

– Je ne sais pas, il faut décider de ça tout de suite ?

– Non, pas forcément, enfin, je ne crois pas. Mais si tu devais choisir maintenant, tu voudrais faire quoi ?

– Reprendre la boulangerie de mes parents, j'imagine.

– Je voulais dire, si tu avais le choix de faire autre chose ?

– J'aimerais être comme M. Chabrol, le médecin, mais je ne crois pas que ce sera possible. Maman dit qu'au train où vont les choses, il n'y aura bientôt plus assez de clients pour que la boulangerie prospère. Depuis que le supermarché vend du pain, mes parents ont du mal à joindre les deux bouts, alors tu imagines, me payer des études de médecine !

Je savais que Luc ne serait pas médecin, je le savais de toutes mes forces depuis que nous avions partagé un pain au chocolat et un éclair au café, depuis que je l'avais vu assis derrière la caisse. Luc resterait dans notre petite ville ; sa famille n'aurait jamais les moyens de lui offrir de quoi faire de longues études.

D'un côté, c'était une bonne nouvelle parce que ça signifiait que la boulangerie résisterait à la guerre du supermarché, mais il ne serait jamais docteur. Je ne voulais pas le lui annoncer, je devinais que ça lui ferait de la peine, peut-être même que ça le découragerait, il était pourtant le meilleur en sciences naturelles. Alors je me suis tu et j'ai gardé ce secret pour moi. Il faut que je fasse attention où je mets les pieds, que je surveille chacun de mes pas. Même par jour de mauvais temps, on n'est pas à l'abri d'une petite éclaircie. Savoir à l'avance ce qui va arriver aux gens qu'on aime bien, ça ne rend pas nécessairement heureux.

– Alors, pour cette élection, qu'est-ce que tu comptes faire ?

J'avais une autre question en tête.

– Luc, si tu avais le pouvoir de deviner ce que les gens pensent, ou plutôt ce qui les rend malheureux, tu ferais quoi ?

– Où est-ce que tu vas chercher des idées pareilles ? Ça n'existe pas, ce pouvoir-là.

– Je le sais bien, mais si ça existait quand même, comment tu l'utiliserais ?

– Je ne sais pas, ce n'est pas très marrant comme pouvoir, j'imagine que j'aurais peur que le malheur des autres déteigne sur moi.

– C'est tout ce que tu ferais ? Tu aurais peur ?

– Chaque fin de mois, quand mes parents font les comptes de la boulangerie, je les vois inquiets, mais je ne peux rien y faire et ça me rend malheureux. Alors si je devais ressentir le malheur de tous les gens, ce serait terrible.

– Et si tu pouvais changer le cours des choses ?

– Ben, j'imagine que je le ferais. Bon, ton pouvoir me fiche le cafard, alors revenons à cette élection et réfléchissons ensemble.

– Luc, si tu devenais maire du village plus tard, ça te plairait ?

Luc s'adossa au mur de l'école pour reprendre un peu son souffle. Il me regarda fixement et son air sombre fit place à un grand sourire.

– J'imagine que ce serait chouette, mes parents aimeraient bien ça, et puis je pourrais faire passer une loi pour interdire au supermarché d'ouvrir un rayon boulangerie. Je crois que j'interdirais aussi le rayon articles de pêche, parce que le meilleur copain de mon père, c'est le droguiste sur la place du marché et lui aussi ses affaires vont mal depuis que le supermarché lui fait de la concurrence.

– Tu pourrais même faire voter une loi qui interdirait complètement le supermarché.

– Je crois que quand je serai maire de la ville, me dit Luc en me tapant sur l'épaule, je te prendrai comme ministre du Commerce.

Plus tard en rentrant à la maison, il faudrait que je demande à ma mère si les maires ont des ministres, j'aimerais bien être le ministre de Luc mais j'ai quand même un petit doute.

Dans le couloir qui menait à la salle de classe, j'ai espéré que les choses se seraient remises en ordre pendant l'éclaircie à la récré, et que l'ombre de Marquès aurait retrouvé son propriétaire ; j'ai prié pour qu'à la prochaine éclaircie je retrouve la mienne au bout de mes chaussures et en même temps, aussi étrange que cela paraisse, je me suis senti un peu lâche d'avoir pensé ça.

*

La leçon de mathématiques venait de commencer quand un bruit assourdissant se fit entendre dans la cour. Les carreaux volèrent en éclats, le professeur nous hurla de nous jeter à terre. Il n'eut pas besoin de nous le répéter deux fois.

S'ensuivit comme un silence de mort. M. Gerbier

se releva le premier et nous demanda si l'un de nous était blessé, il avait l'air terrorisé. À part quelques éclats de verre dans les cheveux et deux filles qui pleuraient sans qu'on sache pourquoi, tout allait plutôt bien, sauf les fenêtres qui faisaient vraiment la gueule et les pupitres tout en désordre. Le professeur nous fit sortir au plus vite et nous ordonna de nous mettre en file indienne. Il quitta la classe en dernier et courut dans le couloir pour se mettre devant nous. Je ne sais pas s'ils avaient répété l'exercice entre profs mais toutes les autres classes avaient fait comme nous et il y avait un monde fou ; la cloche de la récré sonnait à tout-va. Dans la cour, le spectacle était hallucinant. Presque toutes les fenêtres de l'école étaient à nu et on voyait s'élever une colonne de fumée derrière la remise du gardien.

– Mon Dieu, c'est la citerne de gaz ! cria M. Gerbier.

Je ne voyais pas ce que Dieu venait faire là-dedans, à moins qu'il ait eu besoin d'utiliser un briquet géant et qu'il ait un peu merdouillé au moment de s'en servir. En même temps, avec tout ce qu'on nous dit sur les cigarettes, je voyais mal Dieu en train de s'en griller une, mais bon, on ne sait jamais, peut-être que ses poumons à lui ne craignent rien, vu qu'il est déjà au ciel. N'empêche, la colonne de fumée montait quand même jusqu'à lui, mais c'était sûrement qu'une coïncidence.

Mme la directrice était dans tous ses états, elle ordonnait aux professeurs de nous compter pour la troisième fois et n'arrêtait pas de tourner en rond en répétant « Vous êtes sûrs qu'ils sont tous là ? » Et puis, un prénom lui venait en tête, alors elle criait

« Mathieu, le petit Mathieu, il est où ? Ah, il est là ! », puis elle passait à un autre. Heureusement elle n'avait pas pensé à moi, je n'avais vraiment pas besoin qu'on rappelle que j'étais petit, encore moins en pleine période électorale.

Il y avait un sacré grabuge à l'endroit de l'explosion. On entendait le crépitement des flammes, elles grimpaient de plus en plus haut derrière la remise du gardien, on voyait même leurs ombres danser sur le toit. Et devant moi, j'ai vu celle d'Yves, comme si elle était venue me trouver. Je l'ai vue avancer, je savais que c'était moi qu'elle cherchait, je le sentais de toutes mes forces. Mme la directrice et les professeurs étaient bien trop occupés à recompter les élèves pour faire attention à moi, alors je me suis mis à marcher vers la remise, où l'ombre m'entraînait.

On entendait dans le lointain hurler des sirènes, mais elles étaient encore bien loin. L'ombre d'Yves me guidait toujours, je me dirigeai vers la colonne de fumée, la chaleur grandissait, j'avais de plus en plus de mal à progresser. Il fallait que j'y aille, je crois que j'avais compris pourquoi l'ombre était venue à moi.

J'étais presque arrivé à la remise du gardien quand les flammes se sont mises à lécher le toit. J'avais peur mais j'avançais quand même. Soudain j'ai entendu Mme Schaeffer hurler mon prénom. Elle courait derrière moi. Elle ne court pas très vite, Mme Schaeffer. Elle me criait de revenir immédiatement. J'aurais bien voulu lui obéir mais je ne pouvais pas et j'ai continué vers où l'ombre me disait d'aller.

Devant la remise, la chaleur était devenue insupportable, j'allais tourner la poignée de la porte quand la main de Mme Schaeffer m'a saisi par l'épaule et m'a tiré en arrière. Elle m'a lancé un regard incendiaire, c'était de circonstance, mais je suis resté campé sur mes jambes et j'ai refusé de reculer. Je fixais cette porte, mon regard ne pouvait pas s'en détacher. Elle m'a attrapé par le bras, a commencé par me passer un savon, mais j'ai réussi à me libérer et je suis reparti aussitôt vers la remise. Et puis quand je l'ai sentie revenir dans mon dos, je lui ai dit ce que j'avais sur le cœur, c'est sorti d'un coup.

– Il faut sauver le gardien ! Il est pas dans la cour, il est dans sa remise en train de suffoquer.

C'est Mme Schaeffer qui a failli suffoquer quand elle m'a entendu lui dire ça. Elle m'a ordonné de reculer, et là, ce qu'elle a fait m'en a bouché un coin. Elle est plutôt du genre menue, Mme Schaeffer, rien à voir avec la mère de Luc, et pourtant, elle a donné un de ces coups de pied dans la porte, la serrure n'a pas résisté au charme de son tibia. Mme Schaeffer est entrée toute seule dans la remise et elle en est ressortie deux minutes plus tard en traînant Yves par les épaules. Je l'ai quand même un peu aidée jusqu'à ce que le prof de gym vienne prendre la relève et que Mme la directrice m'attrape par le fond de la culotte pour me ramener sous le préau.

Les pompiers sont arrivés. Ils ont éteint l'incendie, puis ils ont emmené Yves à l'hôpital après nous avoir rassurés sur son sort.

Mme la directrice était vraiment bizarre, elle n'arrêtait pas de m'engueuler et en même temps elle se mettait à pleurer en me serrant dans ses bras, me disant que j'avais sauvé Yves, que personne n'avait pensé à lui, sauf moi, et qu'elle ne se le pardonnerait jamais. Bref elle avait un mal fou à se décider.

Le chef des pompiers est venu me voir. Rien que moi. Il m'a demandé de tousser, il a regardé mes paupières et l'intérieur de ma bouche, et m'a examiné des pieds à la tête. Puis, il m'a donné une tape dans le dos, en me disant que si je voulais rejoindre sa brigade quand je serais grand, il serait heureux de me compter dans ses rangs.

J'ai pu constater que maman n'était pas la seule mère reliée par talkie-walkie avec Mme la directrice parce que je l'ai vue débarquer avec plein d'autres parents dans la cour, tous aussi paniqués.

On est rentrés à la maison, l'école était finie pour la journée.

Le vendredi suivant, j'ai gagné l'élection du délégué de classe à l'unanimité, moins une voix. Ce con de Marquès avait voté pour lui.

*

J'ai retrouvé Luc après le dépouillement des bulletins de vote. Il n'a rien dit, il s'est juste contenté de sourire. On lui avait enlevé son attelle le matin même et il m'a montré sa jambe guérie, elle était quand même beaucoup plus mince que l'autre.

*

Huit jours après l'explosion de la citerne, Yves est revenu à l'école. Il avait l'air normal, à part un bandage autour du front qui lui donnait un air de pirate. Ça lui allait plutôt bien, comme si jusque-là, il manquait quelque chose à sa personnalité. Je ne savais pas s'il fallait le lui dire, je verrais bien si l'occasion se présentait un jour de parler de pirates.

À l'heure de la cantine, je suis sorti avant les autres, je n'avais pas très faim. Yves était au fond de la cour, il regardait ce qui restait de sa remise, c'est-à-dire pas grand-chose. Il était penché sur les débris, un enchevêtrement de bouts de bois calcinés qu'il soulevait délicatement. Je me suis avancé vers lui mais, sans se retourner, il m'a dit :

– T'approche pas, c'est dangereux, tu pourrais te blesser.

Ça me semblait pas si dangereux que ça mais j'ai pas voulu lui désobéir. Je suis resté un peu en arrière, il savait bien que j'étais là mais au début, il a fait comme si de rien n'était. Je me demandais ce qu'il cherchait, il n'y avait vraiment rien à sauver au milieu de ce fatras. Puis il a saisi un truc rectangulaire complètement cramé, il l'a posé sur ses genoux et tout son corps s'est mis à trembler. Je crois bien qu'il pleurait et ça m'a fichu un cafard aussi noir que les bouts de bois de la remise.

– Je t'ai dit de pas rester là !

J'ai pas bougé. Il avait l'air si désespéré, il ne pouvait pas être sincère en me criant de partir. Ça se sentait bien qu'il ne fallait pas le laisser tout seul.

C'est ça être un ami, non ? Savoir deviner quand l'autre vous dit le contraire de ce qu'il pense au fond de lui.

Yves s'est retourné vers moi, les yeux rouges. Des larmes coulaient sur ses joues, comme de l'encre sur une feuille de dessin mouillée. Il tenait dans ses mains un vieux cahier brûlé.

– Toute ma vie était là. Des photos, la seule lettre que j'avais de ma mère, et tant d'autres souvenirs d'elle, collés sur ces pages. Il ne reste que des cendres.

Yves a essayé de tourner la couverture mais elle s'est émiettée sous ses doigts. Je me suis dit que j'avais bien fait de rester auprès de lui.

– Votre tête n'a pas brûlé, vos souvenirs ne sont pas perdus, il suffit de vous les rappeler. On pourrait recopier la lettre de votre maman et peut-être même dessiner ce qu'il y avait sur les photos.

Yves a souri, je ne voyais pas ce qu'il y avait de drôle, mais bon, j'étais content qu'il ait l'air moins malheureux.

– Je sais que c'est toi qui as donné l'alerte, m'a-t-il dit en se redressant. Quand la citerne a explosé, je me suis précipité dans la remise pour essayer de sauver ce que je pouvais. Il n'y avait pas encore de flammes, seulement cette fumée épaisse qui envahissait tout. J'ai pas tenu cinq minutes dans cet enfer. Impossible d'ouvrir les yeux tant ça piquait, je n'ai pas retrouvé la poignée de la porte. Je manquais d'air, j'ai paniqué, je n'ai pas pu retenir ma respiration, et j'ai perdu connaissance.

C'était la première fois qu'on me racontait un

incendie vu de l'intérieur et c'était sacrément impressionnant à imaginer.

– Comment tu as su que j'étais là ? a demandé Yves.

Son regard était redevenu si triste que j'ai pas voulu lui mentir.

– Il était si important que ça, votre cahier ?

– Faut croire, il a bien failli me coûter la vie. Je te dois une fière chandelle et des excuses. L'autre jour, sur le banc, quand tu m'as parlé de mon père, j'ai pensé que tu t'étais faufilé par ici pour farfouiller dans mes affaires. Je n'ai jamais raconté mon enfance à personne.

– Je savais même pas qu'il existait, votre cahier.

– Tu n'as pas répondu à ma question, comment as-tu su que j'étais dans la remise en train de suffoquer ?

Qu'est-ce que je pouvais bien lui répondre ? Que son ombre était venue me chercher ? Qu'au milieu du chaos, elle s'était glissée entre les autres ombres sur le ciment de la cour pour venir jusqu'à moi ? Que je l'avais vue me faire des signes dans la lumière des flammes, qu'elle me suppliait de la suivre ? Quel adulte m'aurait cru ?

Dans mon ancienne école, un copain s'en était collé pour un an de séances chez la psychologue parce qu'il avait dit la vérité. Les mercredis après-midi, pendant que nous avions volley-ball ou piscine, lui c'était « salle d'attente et je te raconte ma vie pendant une heure devant une bonne femme qui fait des "Mmm, mmm" avec un sourire ». Tout ça parce qu'un samedi à l'heure du déjeuner, son grand-père s'était écroulé de sommeil devant lui et qu'il n'était jamais sorti de sa sieste. Pour s'excuser, le papy de mon copain lui rendait visite pendant la nuit et poursuivait la conversation qu'ils avaient interrompue dans la cuisine pour cause de sieste subite. Personne ne voulait le croire et, le matin, quand il racontait avoir vu son papy pendant la nuit, tous les adultes le regardaient avec un air consterné. Imaginez ce qui m'arriverait si je parlais de mon petit problème avec les ombres. Si c'était pour être condamné à aller voir la psychologue après être passé aux aveux, autant plaider coupable, quitte à raconter à Yves que j'avais lu son cahier et que j'en avais même appris des passages par cœur.

Yves ne me quittait pas des yeux, je jetai un regard en douce vers la pendule de l'école, il restait encore une bonne vingtaine de minutes avant que la cloche ne sonne.

– J'ai vu que vous n'étiez pas dans la cour et je me suis inquiété pour vous.

Yves m'a regardé sans rien dire. Il a eu une quinte de toux, puis s'est approché de moi et m'a murmuré :

– Je peux te confier un secret ?

J'ai hoché la tête.

– Si un jour tu as quelque chose sur le cœur, quelque chose dont tu ne te sens pas le courage de parler, sache que tu pourras te confier à moi, je ne te trahirai pas. Maintenant, tu peux aller jouer avec tes copains.

J'ai bien failli lâcher le morceau, je crois que ça

m'aurait soulagé de parler à une grande personne, et Yves était quelqu'un de confiance. J'allais réfléchir à sa proposition le soir même quand je serais dans mon lit et, si je la trouvais toujours épatante au réveil, peut-être que je lui dirais la vérité.

Je suis parti rejoindre Luc. C'était la première fois depuis qu'il avait récupéré sa jambe qu'il rejouait au basket mais sa technique était loin d'être revenue et il avait besoin d'un coéquipier.

*

Depuis l'explosion de la citerne, il n'y avait pas eu un seul jour de soleil. Les vitres de l'école avaient été remplacées mais il faisait terriblement froid dans les salles de classe et nous gardions tous nos manteaux à l'intérieur. Mme Schaeffer faisait son cours avec un bonnet sur la tête et ça rendait les leçons d'anglais bien plus intéressantes à cause du pompon qui gigotait chaque fois qu'elle ouvrait la bouche. Avec Luc, on se mordait la langue pour ne pas rigoler. Le temps que les assurances comprennent ce qui s'était passé, et donnent de l'argent à la directrice pour acheter une citerne de gaz toute neuve, l'hiver aurait passé. Tant que Mme Schaeffer gardait son bonnet à pompon, c'était pas grave.

Entre Marquès et moi l'atmosphère était tout aussi glaciale. Chaque fois qu'un professeur m'envoyait chercher des documents au secrétariat, puisque ce genre de missions revenait au délégué de classe, je sentais des flèches siffler dans mon dos. Depuis que j'avais visité sa maison dans mes rêves, je ne lui en voulais plus de rien et toutes ses brimades m'étaient bien égales. Maman m'avait annoncé que ce samedi matin papa viendrait me chercher et que nous passerions toute la journée ensemble et je ne pensais plus qu'à ça. Ça me rendait heureux, même si je m'inquiétais pour maman. Je n'arrêtais pas de me demander si elle n'allait pas s'ennuyer toute seule et je me sentais un peu coupable de l'abandonner.

Je crois que ma mère aussi doit lire dans les pensées qui rendent triste, en tout cas dans les miennes ; ce soir-là, elle est entrée dans ma chambre au moment où j'éteignais la lumière, elle s'est assise sur mon lit et elle m'a détaillé tout ce qu'elle ferait pendant que je passerais la journée avec mon père. Elle profiterait de mon absence pour aller chez le coiffeur. Elle avait l'air ravie en disant ça, ce que je trouvais curieux, parce que pour moi, aller chez le coiffeur, c'est plutôt une punition.

Maintenant que j'étais rassuré, plus les jours de la semaine avançaient, plus j'avais du mal à me concentrer sur mes devoirs. Je pensais sans cesse à ce que mon père et moi ferions quand nous nous serions retrouvés. Peut-être qu'il m'emmènerait manger une pizza comme il le faisait de temps en temps quand on habitait encore ensemble. Il fallait que je me ressaisisse, nous n'étions que jeudi, c'était vraiment pas le moment de se faire coller.

La journée du vendredi, les heures semblaient contenir plus de minutes que d'habitude. Comme lorsqu'on passe à l'heure d'hiver, et que la journée en gagne une de plus. Ce vendredi-là, on passait à l'heure d'hiver toutes les soixante minutes. L'aiguille de la pendule au-dessus du tableau noir avançait très lentement, si lentement que j'étais sûr que Dieu nous avait arnaqués et que la récré du matin aurait dû être celle de l'après-midi. Aucun doute, on s'était fait avoir.

*

J'avais fini mes devoirs, maman en était témoin, et je m'étais couché les dents brossées avec une heure d'avance sur l'horaire habituel. Je voulais être en forme le lendemain, je savais que j'aurais du mal à trouver le sommeil. Il est venu quand même mais je me suis réveillé plus tôt que d'habitude.

Je me suis levé sur la pointe des pieds, j'ai fait ma toilette et je suis descendu en catimini préparer un petit déjeuner à ma mère pour m'excuser de la laisser seule ce jour-là. Puis je suis remonté m'habiller. J'ai mis le pantalon de flanelle et la chemise blanche que je portais le jour où on avait emmené le grand-père de mon copain au cimetière, pour qu'il continue sa sieste tranquillement sans être dérangé. C'est très calme les cimetières.

J'avais pris quelques centimètres depuis l'année précédente, pas beaucoup mais le bas de mon pantalon arrivait en haut de mes chaussettes. J'ai essayé de mettre la cravate que papa m'avait achetée, ma première cravate, comme il avait dit le jour où il me l'avait offerte. Je n'ai pas su faire le nœud, alors je l'ai enroulée comme une écharpe. Après tout, c'est l'intention qui compte, et puis ça me donnait l'allure d'un poète. J'avais vu une photo de Baudelaire dans notre livre de français, lui non plus ne savait pas très bien nouer sa cravate et pourtant les filles ne juraient que par lui. J'étais un peu serré dans mon blazer, mais très élégant. J'aurais bien aimé me promener avec papa sur la place du marché. Avec un peu de chance on aurait pu croiser Élisabeth en train de faire des courses avec sa mère.

Je me suis regardé dans la glace de la salle de bains de mes parents et je suis descendu attendre au salon.

Nous ne sommes pas allés sur la place du marché, papa n'est pas venu. Il a appelé à midi, pour s'excuser. C'est à maman qu'il a présenté ses excuses, parce que moi, j'ai pas voulu lui parler. Maman avait l'air encore plus triste que moi. Elle m'a proposé qu'on aille au restaurant, juste tous les deux, mais je n'avais plus faim. Je me suis changé et j'ai rangé la cravate dans l'armoire. J'espère ne pas trop grandir dans les mois à venir, comme ça, si papa vient me chercher, mes beaux habits devraient encore m'aller.

Il a plu tout le dimanche, on est restés avec maman à faire des jeux, mais j'avais pas le cœur à gagner, alors j'ai pas cessé de perdre.

*

Le lundi j'ai séché la cantine, j'ai horreur du veau et des petits pois, et le lundi, c'est veau et petits pois. Je m'étais préparé un sandwich au Nutella en douce avant de partir de la maison et je suis allé le manger sous le marronnier. Yves était en train de charger dans une brouette les ruines de son ancienne remise. Il se rendait jusqu'aux grandes poubelles au fond de la cour où il entassait tout ce qui restait de ses souvenirs. Quand il m'a aperçu sur le banc, il est venu me saluer. J'avais rien contre, depuis deux jours je me sentais seul et sa compagnie ne pouvait pas me faire de mal. J'ai partagé mon sandwich en deux et je lui ai offert la petite moitié. J'étais sûr qu'il allait refuser mais il l'a mangée de bon appétit.

– Tu n'as pas l'air dans ton assiette, qu'est-ce qui t'arrive ?

– Moi aussi j'ai plein de photos dans le grenier de ma maison, si je vous les apportais vous pourriez m'aider à faire mon album de souvenirs ?

– Pourquoi tu ne le fais pas toi-même ?

– J'ai eu quatre sur vingt à mon herbier, je ne suis pas très doué en collages.

Yves a souri, il m'a dit que j'étais peut-être encore un peu jeune pour faire un album de souvenirs. Je lui ai répondu que c'était surtout des photos de mes parents, avant ma naissance. Par définition, je ne pouvais me souvenir de rien. Voilà pourquoi je voulais coller ces photos dans un album, pour mieux connaître mes parents, surtout mon père. Yves m'a regardé en silence, comme quand maman essaie de savoir s'il y a quelque chose qui cloche. Et puis il a dit que mes plus beaux souvenirs étaient devant moi et que c'était une chance merveilleuse.

Les grandes personnes vous disent toujours que c'est merveilleux d'être un enfant, mais je vous jure qu'il y a des jours, comme samedi dernier par exemple, où l'enfance, ça pue vraiment.

Les gens d'ici vous diront que nos hivers sont terribles, qu'ils ne sont que grisaille et froid, trois mois durant, sans un jour de répit. J'ai longtemps partagé leur point de vue, mais quand le premier rayon de soleil risque de vous mettre en péril, alors on adore ce pays où les hivers sont rigoureux. Le problème, c'est que le printemps finit toujours par revenir.

*

Aux derniers jours de mars, le matin s'était levé sans un nuage dans le ciel. Je marchais sur le chemin de l'école et, à mon grand bonheur, l'ombre devant moi semblait bien me correspondre.

Je m'arrêtai devant la boulangerie où je retrouvais toujours Luc, sa maman m'adressa un bonjour derrière la vitrine. Je le lui rendis aussitôt et profitai que Luc ne soit pas encore descendu pour étudier de plus près ce qui se passait sur le trottoir. Aucun doute, j'avais retrouvé mon ombre. Je reconnaissais même les mèches que maman essayait systématiquement d'aplatir sur mon front avant mon départ à l'école, en me disant que j'avais des épis de blé qui poussaient au milieu du crâne, comme mon père. C'est peut-être à cause de ça qu'elle s'en prenait à eux tous les matins.

Avoir retrouvé mon ombre était une sacrée bonne nouvelle. Mon problème maintenant était de faire bien attention à ne plus la perdre et surtout à ne pas en emprunter une autre. Luc avait probablement raison, le malheur des autres, ça devait être contagieux, j'avais été malheureux tout l'hiver.

– Tu vas regarder longtemps tes pieds ? me demanda Luc.

Je ne l'avais pas entendu arriver, il m'entraîna en me donnant une tape sur l'épaule.

– Dépêche-toi, on va finir par être en retard.

Il se passe une chose étrange à l'arrivée du printemps. Certaines filles changent de coiffure, je ne l'avais pas remarqué avant mais là, en regardant Élisabeth au milieu de la cour, c'était devenu une évidence.

Elle avait défait sa queue-de-cheval et ses cheveux lui tombaient aux épaules. Ça la rendait beaucoup plus belle, et moi, sans que je comprenne pourquoi, beaucoup plus triste. Peut-être parce que je devinais qu'elle ne poserait jamais son regard sur moi. J'avais gagné l'élection du délégué de classe mais Marquès avait gagné le cœur d'Élisabeth, et je ne m'étais rendu compte de rien. Trop occupé par mes stupides tracas avec les ombres, je n'avais rien vu venir, rien entendu de leur complicité qui se nouait dans mon dos pendant que j'occupais le premier rang de la salle de classe. Je n'avais pas repéré le petit stratagème d'Élisabeth qui reculait d'un rang de semaine en semaine, chaque fois qu'elle en avait l'occasion. Elle avait d'abord changé de place avec Anne, puis avec Zoé, jusqu'à atteindre son but sans que personne découvre sa manœuvre.

J'ai tout compris le premier jour du printemps, au milieu de la cour, en regardant ses beaux cheveux qui lui tombaient aux épaules et ses yeux bleus posés sur Marquès alors qu'il triomphait au basket. Plus tard, j'ai vu sa main prendre la sienne et j'ai serré mes doigts à m'en marquer les paumes avec mes ongles. Et pourtant, la voir aussi heureuse me faisait quelque chose d'étrange, comme un élan dans la poitrine. Je crois que l'amour, c'est triste et merveilleux.

Yves est venu me rejoindre sur mon banc.

– Qu'est-ce que tu fais là tout seul au lieu d'aller jouer avec les autres ?

– Je réfléchis.

– À quoi ?

– À quoi ça sert d'aimer.

– Je ne suis pas certain d'être la personne la plus qualifiée pour te répondre.

– C'est pas grave, je crois que je ne suis pas le garçon le plus qualifié pour poser cette question.

– Tu es amoureux ?

– C'est fini, la femme de ma vie en aime un autre.

Yves s'est mordu les lèvres, et ça m'a vexé. J'ai

voulu me lever, mais il m'a retenu par le bras et m'a obligé à me rasseoir.

– Reste, nous n'avons pas fini notre conversation.

– De quoi vous voulez qu'on parle ?

– D'elle, de qui veux-tu qu'on parle !

– C'était perdu d'avance, je le savais, mais je n'ai pas pu m'empêcher de l'aimer quand même.

– Qui est-ce ?

– Celle qui tient la main du grand malabar, là-bas, près du panier de basket.

Yves a regardé Élisabeth et a hoché la tête.

– Je comprends, elle est jolie.

– Je suis trop petit pour elle.

– Cela n'a rien à voir avec ta taille. Ça te fait de la peine de la voir avec Marquès ?

– À votre avis ?

– Ce serait peut-être mieux que la femme de ta vie soit celle qui te rend heureux, non ?

Je n'avais pas vu les choses sous cet angle. Évidemment, dit comme ça, ça donnait à réfléchir.

– Alors peut-être que ce n'est pas elle, la femme de ta vie ?

– Peut-être..., ai-je répondu à Yves en soupirant.

– As-tu déjà pensé à faire la liste de tout ce dont tu aurais envie ? me demanda Yves.

J'avais commencé cette liste depuis longtemps. À l'époque où je croyais encore au Père Noël, je la lui postais chaque 22 décembre. Mon père m'accompagnait jusqu'à la boîte aux lettres au bout de la rue et il me portait pour que je glisse l'enveloppe dans la fente. J'aurais dû deviner la supercherie, il n'y avait ni adresse, ni timbre. J'aurais dû me douter que mon père nous quitterait un jour. On commence par un mensonge et on ne sait plus comment s'arrêter. Oui, j'avais entamé la rédaction de cette liste à six ans, et chaque année je la complétais et la raturais. Devenir pompier, vétérinaire, astronaute, capitaine de marine marchande, boulanger pour être heureux comme la famille de Luc, j'avais eu envie de tout cela. Avoir un train électrique, une belle maquette d'avion, manger une pizza avec mon père un samedi, réussir ma vie et emmener ma mère loin de la ville où nous vivions. Lui offrir une belle maison où passer ses vieux jours sans plus jamais devoir travailler, ne plus la voir rentrer si fatiguée le soir et effacer de son visage la tristesse que je lisais parfois dans ses yeux, cette tristesse qui me tordait le ventre comme un coup de poing de Marquès quand il vous frappe à l'estomac.

– Je voudrais, reprit Yves, que tu fasses quelque chose pour moi, quelque chose qui me ferait vraiment plaisir.

Je le regardais en attendant qu'il me dise ce qui lui ferait tant plaisir.

– Tu pourrais rédiger une autre liste pour moi ?

– Quel genre ?

– La liste de tout ce que tu ne voudrais jamais faire.

– Comme quoi ?

– Je ne sais pas, moi, cherche. Qu'est-ce que tu détestes le plus chez les adultes ?

– Quand ils vous disent « Tu comprendras quand tu auras mon âge ! »

– Eh bien écris sur la liste des choses que tu ne voudras jamais dire lorsque tu seras adulte : « Tu comprendras quand tu auras mon âge ! » Autre chose qui te vienne à l'esprit ?

– Dire à son fils qu'on ira manger une pizza avec lui le samedi et ne pas tenir sa promesse.

– Alors ajoute à ta liste « Ne pas tenir une promesse faite à mon fils ». Tu as compris l'idée maintenant ?

– Je crois, oui.

– Lorsqu'elle sera complète, apprends-la par cœur.

– Pour quoi faire ?

– Pour t'en souvenir !

Yves avait dit ça en me donnant un coup de coude complice. J'ai promis d'écrire cette liste dès que possible et de la lui montrer afin qu'on en discute ensemble.

– Tu sais, a-t-il ajouté alors que je me levais, avec Élisabeth, ce n'est peut-être pas définitivement perdu. Une belle rencontre, c'est parfois aussi une question de temps. Il faut se trouver l'un l'autre au bon moment.

J'ai laissé Yves et j'ai rejoint ma salle de classe.

Ce soir-là, dans ma chambre, j'ai pris une feuille de papier, je l'ai glissée sous mon cahier de mathématiques, et dès que maman est allée ranger la cuisine, j'ai commencé ma nouvelle liste. En m'endormant, j'ai réfléchi à ma conversation avec Yves ; pour Élisabeth et moi, je crois bien que cette année, c'était pas le bon moment.

*

Je n'avais pas cessé de me poser des questions depuis la rentrée. Plus on vieillit, plus on s'interroge sur des tas de choses. Pour Élisabeth, j'avais trouvé des explications satisfaisantes, mais en ce qui concernait mon problème avec les ombres, c'était le noir absolu. Pourquoi ça m'arrivait à moi ? Est-ce que j'étais le seul à pouvoir leur parler ? Et qu'est-ce que j'allais faire si ça recommençait dès que je croisais quelqu'un ?

Tous les matins, je vérifiais la météo avant de partir à l'école. Pour donner le change à la maison, j'avais proposé à notre professeur de sciences naturelles de faire un exposé sur le réchauffement climatique, il avait tout de suite accepté. Maman avait même décidé de me prêter main-forte. Dès qu'un article écolo paraissait dans le journal, elle le découpait. Le soir, elle me le lisait et nous le collions ensemble dans un grand cahier à spirale qu'elle avait failli acheter au supermarché avant que je l'oblige à aller chez le papetier sur la place de l'église. La dame de la météo avait annoncé la nouvelle pleine lune pour la fin de la semaine, dans la nuit de samedi à dimanche.

Cette information me plongea dans une profonde réflexion. Agir ou ne pas agir, comme aurait dit mon ami Luc, s'il avait eu un lien de parenté avec le père d'Hamlet.

Depuis le retour des beaux jours, je faisais très attention à ne jamais rester longtemps trop près d'un copain quand la cour était ensoleillée.

En même temps, j'avais l'impression de passer à côté de quelque chose d'important. Si Dieu avait fait péter la citerne de gaz de mon école, c'était peut-être pour m'envoyer un signal, un truc du genre : « Je t'ai à l'œil, si tu crois que je t'ai donné ce petit pouvoir pour que tu fasses comme si de rien n'était ! »

Ce jeudi-là, je repensais à tout ça quand Yves est venu me rejoindre sur le banc où j'aimais aller m'asseoir pour réfléchir.

– Alors, cet album, ça avance ?

– J'ai pas trop le temps en ce moment, je suis sur un exposé.

L'ombre d'Yves était juste à côté de la mienne.

– J'ai fait ce que tu m'as suggéré l'autre jour.

Je me souvenais plus de ce que j'avais suggéré à Yves.

– J'ai recopié la lettre de ma mère, telle que je m'en souvenais, pas mot à mot, mais j'ai pu reproduire l'essentiel. C'était une bonne idée, tu sais. Ce n'est plus son écriture, pourtant lorsque je la relis, j'y retrouve presque la même émotion.

– Qu'est-ce qu'elle vous disait dans cette lettre, votre maman, si c'est pas trop indiscret ?

Yves a attendu quelques secondes avant de me répondre, puis il a murmuré :

– Qu'elle m'aimait.

– Ah oui, c'est pas trop long à recopier.

Je me suis approché de lui, parce qu'il parlait tout bas, et là, à mon insu, nos ombres se sont chevauchées. Ce que j'ai vu alors m'a sidéré.

La lettre de sa mère n'avait jamais existé. Sur les pages de cet album qui avait brûlé dans la remise, n'apparaissaient que celles qu'il lui avait écrites, durant toute sa vie. La maman d'Yves était morte en le mettant au monde, bien avant qu'il n'apprenne à lire.

Les larmes me sont montées aux yeux. Pas à cause de la disparition précoce de sa mère, mais à cause de son mensonge.

Imaginez ce qu'il lui avait fallu de malheur à cacher pour s'inventer une correspondance avec une maman qu'il n'avait jamais connue. Son existence était comme un puits sans fond, un puits de tristesse impossible à combler, qu'Yves avait été juste capable de recouvrir d'un couvercle en forme de lettre imaginaire.

C'est son ombre qui m'avait soufflé tout ça au creux de l'oreille.

J'ai prétendu avoir un devoir en retard, je me suis excusé en jurant de revenir dès la prochaine récré et je suis parti en courant. En arrivant sous le préau, je me suis senti lâche. J'ai eu honte pendant tout le cours de Mme Schaeffer mais je n'ai pas trouvé la force de retourner auprès de mon copain le gardien, comme je le lui avais promis.

*

À la maison, maman m'annonça qu'un documentaire sur la déforestation de la forêt amazonienne passait le soir même à la télévision. Elle avait préparé un plateau-repas que nous partagerions sur le canapé du salon. Elle m'installa devant le poste, m'apporta un crayon et un cahier, et s'assit à côté de moi. Le nombre d'animaux condamnés à l'exode et à l'extinction, parce que les hommes aiment l'argent au point d'en perdre la raison, c'est terrifiant !

Pendant que nous assistions, impuissants, à la condamnation à mort des paresseux du Brésil, animal dont je me sentais complice et proche, maman découpait le poulet. À la moitié de l'émission, je jetai un coup d'œil à la carcasse de la volaille et fis le vœu de devenir végétarien dès que ce serait possible.

Le présentateur nous expliquait le principe de l'évapotranspiration, un truc assez simple. Sous les arbres, la terre transpire, un peu comme nous sous les poils. La sueur de la planète s'évapore et remonte pour former des nuages. Quand ils sont assez gros, il pleut, ce qui fournit l'eau nécessaire à ce que les arbres se reproduisent et soient en forme. Faut reconnaître que le système est assez bien pensé dans l'ensemble. Évidemment, si on continue de tondre la terre comme un œuf, il n'y aura plus de sueur et donc plus de nuages. Imaginez les conséquences d'un monde sans nuages, surtout pour moi ! La vie vous joue parfois de drôles de tours. J'avais inventé cet exposé sur le réchauffement climatique pour avoir un alibi, sans supposer combien ce sujet allait me toucher de près.

Maman s'était endormie, j'ai augmenté un peu le son de la télé pour tester son sommeil, il était profond. Encore une de ses journées épuisantes. Ça me démoralisait de la voir dans cet état. Raison de plus pour ne pas la réveiller. J'ai baissé le volume et je suis monté en douce dans le grenier. La lune viendrait bientôt se mettre dans l'axe de la lucarne.

Selon la procédure en vigueur depuis ma dernière expérience, je me tenais bien droit, dos à la vitre, poings serrés. Mon cœur battait à cent dix pulsations minute, conséquence directe de la trouille que j'avais.

À 22 heures pile, l'ombre m'est apparue, d'abord toute fine, à peine plus épaisse qu'un trait de crayon sur le plancher du grenier, puis elle a pris de l'ampleur. J'étais pétrifié, j'aurais voulu faire quelque chose, mais je n'arrivais même pas à bouger les doigts. Mon ombre aurait dû être tout aussi immobile, mais elle a levé les bras, alors que les miens étaient plaqués le long de mon corps. La tête de l'ombre s'est inclinée, à droite, à gauche, elle s'est mise de profil et, aussi surprenant que cela puisse paraître, elle m'a tiré la langue.

Si ! On peut avoir peur et rire en même temps, ce n'est pas incompatible. L'ombre s'est étirée devant mes pieds et est allée se déformer sur les cartons. Elle se faufilait entre les malles, et sa main s'est posée sur une boîte, exactement comme si elle s'appuyait dessus.

– Tu es à qui ? balbutiai-je.

– À qui veux-tu que j'appartienne ? Je suis à toi, je suis ton ombre.

– Prouve-le !

– Ouvre cette boîte, tu verras par toi-même. J'ai un petit cadeau pour toi.

J'ai fait trois pas en avant, l'ombre s'est écartée.

– Pas celle du dessus, tu l'as déjà ouverte, prends plutôt celle qui se trouve en dessous.

J'ai obéi. J'ai posé par terre la première boîte et ouvert le couvercle de la seconde. Elle était remplie de photographies, je ne les avais jamais vues avant, des photos de moi le jour de ma naissance. Je ressemblais à un gros cornichon flétri, en moins vert et avec des yeux. Je n'étais pas à mon avantage et je ne trouvais pas ce cadeau particulièrement intéressant.

– Regarde la photo suivante ! insista l'ombre.

Mon père me tenait tout contre lui, ses yeux étaient posés sur moi et il souriait comme je ne l'avais jamais vu sourire. Je me suis approché de la lucarne pour regarder son visage de plus près. Il y avait autant de lumière dans son regard que le jour de son mariage.

– Tu vois, murmura l'ombre, il t'a aimé dès les premiers instants de ta vie. Il n'a peut-être jamais trouvé les mots pour te le dire, mais cette photo vaut toutes les belles phrases que tu aurais voulu entendre.

J'ai continué à regarder la photo, ça me faisait un bien fou de me voir dans les bras de mon père. Je l'ai rangée dans la poche de ma veste de pyjama, pour la garder sur moi.

– Maintenant, assieds-toi, il faut que l'on parle, a dit l'ombre.

Je me suis assis en tailleur sur le sol. L'ombre s'est mise dans la même position, face à moi, j'avais l'impression qu'elle me tournait le dos, mais ce n'était que l'effet d'un rayon de lune.

– Tu as un pouvoir très rare, il faut que tu acceptes de t'en servir, même s'il te fait peur.

– Pour faire quoi ?

– Tu es heureux d'avoir vu cette photo, non ?

Je ne sais pas si « heureux » était le bon mot, mais cette photo de papa me tenant dans ses bras me rassurait beaucoup. J'ai haussé les épaules. Je me suis dit que s'il ne m'avait pas donné de nouvelles depuis son départ, c'est qu'il ne devait pas pouvoir faire autrement. Autant d'amour ne pouvait disparaître en quelques mois. Il en avait forcément encore en lui.

– C'est exactement cela, poursuivit l'ombre comme si elle avait lu dans mes pensées. Trouve pour chacun de ceux dont tu dérobes l'ombre cette petite lumière qui éclairera leur vie, un morceau de leur mémoire cachée, c'est tout ce que nous te demandons.

– Nous ?

– Nous, les ombres, souffla celle à qui je m'adressais.

– Tu es vraiment la mienne ? demandai-je.

– La tienne, celle d'Yves, de Luc ou de Marquès, peu importe, disons que je suis la déléguée de la classe.

J'ai souri, je comprenais très bien de quoi elle parlait.

Une main s'est posée sur mon épaule, j'ai poussé un hurlement. Je me suis retourné et j'ai vu le visage de maman.

– Tu parles avec ton ombre, mon chéri ?

Pendant un court instant, j'ai espéré qu'elle ait

tout compris, qu'elle ait été témoin de ce qui m'arrivait, mais elle me regardait d'un air attendri et désolé. J'en conclus qu'elle n'avait aucun pouvoir. Elle n'avait entendu que ma voix dans ce grenier ; cette fois, j'étais bon pour les séances chez la psychologue.

Maman me prit dans ses bras et me serra très fort contre elle.

– Tu te sens si seul ? me demanda-t-elle.

– Non, je te jure que non, répondis-je pour la rassurer, c'est juste un jeu.

Maman avança à genoux vers la lucarne, approchant son visage de la vitre.

– C'est beau la vue, d'ici. Je n'étais pas remontée dans ce grenier depuis si longtemps. Viens, assieds-toi près de moi, et raconte-moi ce que ton ombre et toi vous disiez.

En me retournant, j'ai vu l'ombre de maman, seule à côté de la mienne. Alors, à mon tour, j'ai pris ma mère dans mes bras et je lui ai donné tout l'amour que je pouvais.

« Il n'est pas parti à cause de toi, mon chéri. Il est tombé amoureux d'une autre femme... et moi je suis tombée de haut. »

Aucun enfant au monde n'a envie d'entendre sa mère lui faire ce genre d'aveu. Cette phrase, maman ne l'a pas prononcée, c'est son ombre qui me l'a soufflée, dans le grenier. Je pense que l'ombre de maman m'a fait cette confidence pour me déculpabiliser à propos du départ de papa.

J'avais compris le message et ce que les ombres attendaient de moi, maintenant ce n'était plus qu'une question d'imagination et maman ne cessait de me répéter que de ce côté-là, je ne manquais de rien. Je me suis penché vers ma mère et je lui ai demandé de me rendre un petit service.

– Tu m'écrirais une lettre ?

– Une lettre ? Quel genre de lettre ? a répondu maman.

– Imagine que pendant que j'étais dans ton ventre tu aies voulu me dire que tu m'aimais, comment tu aurais fait puisqu'on ne pouvait pas encore se parler ?

– Mais je n'ai pas cessé de te dire que je t'aimais pendant que je t'attendais.

– Oui, mais moi, je ne pouvais pas t'entendre.

– On dit que les bébés entendent tout dans le ventre de leur mère.

– Je ne sais pas qui t'a raconté ça, en tout cas, je ne me souviens de rien.

Maman me regarda bizarrement.

– Où veux-tu en venir ?

– Disons que pour me dire tout ce que tu ressentais, et que je puisse m'en souvenir, tu aurais pu avoir l'idée de m'écrire. Tu m'aurais rédigé une lettre à lire bien après ma naissance, par exemple, une lettre où tu me souhaiterais plein de choses, où tu me donnerais deux, trois conseils pour être heureux quand je serai grand.

– Et tu voudrais que je te l'écrive maintenant, cette lettre ?

– Oui, c'est exactement ça, mais en te remettant

dans la peau de la maman qui était enceinte de moi. Tu connaissais déjà mon prénom quand j'étais dans ton ventre ?

– Non, nous ne savions pas si tu étais une fille ou un garçon. Nous l'avons choisi le jour où tu es venu au monde.

– Alors écris la lettre sans mettre de prénom, ce sera encore plus authentique.

– Où est-ce que tu vas chercher des idées pareilles ? me demanda maman en m'embrassant.

– Dans mon imagination ! Alors, tu veux bien le faire ?

– Oui, je vais te l'écrire, cette lettre, je m'y mettrai dès ce soir. Maintenant, il est grand temps que tu ailles te coucher.

Je filai au lit, avec l'espoir que mon plan fonctionnerait jusqu'au bout. Si ma mère tenait sa promesse, la première partie était déjà gagnée.

Au petit matin, lorsque j'ai ouvert les yeux, j'ai trouvé une lettre de ma mère sur ma table de nuit et la photo de mon père posée contre le pied de la lampe de chevet. Pour la première fois depuis six mois, nous étions tous les trois réunis dans ma chambre.

La lettre de ma mère était la plus belle lettre du monde. Elle m'appartenait et serait à moi pour toujours. Mais j'avais une mission importante à accomplir, et pour ça, je devais la partager. Maman aurait sûrement compris si je l'avais mise dans le secret.

J'ai rangé la lettre dans mon cartable et, sur le chemin de l'école, je me suis arrêté chez le libraire. J'ai dépensé mes économies de la semaine pour acheter une feuille d'un très beau papier. J'ai donné la lettre de ma mère au libraire et nous avons fait une photocopie sur sa toute nouvelle machine. L'original et son double se confondaient. Un faux presque parfait, comme si j'avais la lettre de ma mère et son ombre. J'ai tout de même gardé l'original pour moi.

À la récré de midi, je suis allé traîner du côté des grandes poubelles. J'ai fini par trouver ce dont j'avais besoin, un petit morceau de bois brûlé de la remise qui avait échappé à la décharge. Il y avait encore assez de suie dessus pour mettre la deuxième partie de mon plan à exécution.

Je l'ai enveloppé dans une serviette de table que j'avais chapardée à la cantine et je l'ai caché dans mon cartable.

Pendant le cours d'histoire de Mme Henry, alors que Cléopâtre en faisait baver des vertes et des pas mûres à Jules César, j'ai sorti discrètement mon bout de bois noirci et le double de la lettre. Je les ai posés sur mon bureau et j'ai commencé à salir le papier en étalant un peu de suie. Une traînée par-ci, une tache par-là. Mme Henry avait dû repérer mon petit manège, elle s'est arrêtée de parler, laissant Cléopâtre au milieu d'un discours, et s'est avancée vers moi. J'ai roulé ma feuille en boule et j'ai vite attrapé un crayon dans ma trousse.

– Je peux savoir ce que tu as sur les mains ? me demanda-t-elle.

– Mon stylo, madame, lui répondis-je sans hésitation.

– Il doit fuir d'une drôle de façon ton stylo bleu, pour que tu sois tout taché de noir. Dès que tu auras récupéré de quoi écrire normalement, tu me copieras cent fois « Le cours d'histoire n'est pas fait pour dessiner ». Maintenant, va te laver les mains et la figure, et reviens immédiatement.

Les copains de classe riaient aux éclats pendant que je me dirigeais vers la porte. Ah, elle est belle la camaraderie !

En arrivant devant la glace des toilettes, j'ai compris tout de suite comment je m'étais fait prendre. Je n'aurais jamais dû passer ma main sur mon front, je ressemblais à un charbonnier.

De retour à mon pupitre, j'ai récupéré ma feuille de papier en piteux état, redoutant que tout mon travail soit anéanti. Bien au contraire, froissée comme ça, ma lettre avait exactement l'apparence que je voulais lui donner. La sonnerie de la fin des cours allait retentir, je pourrais bientôt mettre la troisième et dernière partie de mon projet à exécution.

*

J'avais bon espoir que mon plan ait fonctionné. Le lendemain, la lettre n'était plus à l'endroit où je l'avais volontairement mal cachée, sous un morceau de bois des restes de l'ancienne remise.

Mais j'allais devoir patienter une semaine pour en avoir la confirmation.

*

Le mardi d'après, j'étais en pleine conversation avec Luc, sur mon banc favori, quand Yves s'est approché de nous et a demandé à mon copain s'il pouvait nous laisser seuls. Yves a pris sa place, il a gardé le silence quelques instants.

– J'ai donné mon congé à Mme la directrice, je m'en vais à la fin de la semaine. Je voulais te l'annoncer moi-même.

– Alors vous aussi vous allez partir, pourquoi ?

– C'est une longue histoire. À mon âge, il est temps que je quitte l'école, non ? Disons que, pendant toutes ces années ici, je vivais dans le passé, prisonnier de mon enfance. Je me sens libre désormais. J'ai du temps à rattraper, il faut que je me construise une vraie vie, que je sois enfin heureux.

– Je comprends, ai-je marmonné, vous allez me manquer, j'aimais bien vous avoir pour copain.

– Toi aussi tu me manqueras, nous nous reverrons peut-être un jour.

– Peut-être. Vous allez faire quoi ?

– Tenter ma chance ailleurs, j'ai un vieux rêve à réaliser, et une promesse à tenir. Si je te dis ce que c'est, tu sauras te taire ? Juré ?

J'ai craché par terre.

Yves m'a murmuré son secret à l'oreille, mais comme c'est un secret, motus et bouche cousue. Je suis quelqu'un de parole.

On s'est serré la main, on avait décidé que c'était mieux de se dire au revoir tout de suite. Vendredi, ce serait trop triste. Comme ça, on avait quelques jours pour s'habituer à l'idée de ne plus se voir.

En rentrant, je suis monté dans le grenier et j'ai relu la lettre de maman. C'est peut-être cette phrase où elle m'écrit que son plus grand souhait serait que je sois épanoui plus tard ; qu'elle espère que je trouverai un métier qui me rendra heureux et que quels que soient les choix que je ferai dans ma vie, tant que j'aimerai et que je serai aimé, j'aurai réalisé tous les espoirs qu'elle fonde en moi.

Oui, ce sont peut-être ces lignes-là qui ont libéré Yves des chaînes qui le retenaient à son enfance.

Pendant un temps, j'ai regretté d'avoir partagé la lettre de ma mère avec lui. Ça m'a coûté un copain.

Mme la directrice et les professeurs ont organisé une petite fête d'adieu. La cérémonie s'est tenue à la cantine. Yves était beaucoup plus populaire qu'il ne l'imaginait, tous les parents d'élèves sont venus et je crois que ça l'a beaucoup ému. J'ai demandé à maman qu'on s'en aille. Le départ d'Yves, je n'avais envie de le vivre avec personne.

C'était un soir sans lune, inutile de traîner au grenier. Mais dans les plis des rideaux de ma chambre, alors que je m'endormais, j'ai entendu la voix de l'ombre d'Yves me dire merci.

*

Depuis qu'Yves est parti, je ne vais plus me promener autour de l'ancienne remise. Je me suis rendu compte que les lieux aussi avaient des ombres. Les souvenirs rôdent et vous rendent nostalgique dès que vous vous en approchez trop près. C'est pas facile de perdre un copain. Pourtant, après avoir changé d'école j'aurais dû être habitué, mais non, rien n'y fait, c'est chaque fois la même chose, une part de soi reste avec celui qui s'en est allé, c'est comme un chagrin d'amour mais en amitié. Faut pas s'attacher aux autres, c'est trop risqué.

Luc sentait que j'avais le cafard. Chaque soir, en rentrant de l'école, il m'invitait à passer chez lui. Nous faisions nos devoirs ensemble avec un éclair au café en prime entre les exercices de maths et les répétitions du cours d'histoire.

Le trimestre a fini par passer, j'ai fait extrêmement attention où je mettais les pieds, j'avais besoin de reprendre des forces avant d'utiliser à nouveau mon pouvoir. Je voulais apprendre à bien savoir m'en servir.

Juin tirait à sa fin, les vacances approchaient et j'avais réussi à garder mon ombre tout ce temps-là.

Maman n'a pas assisté à la remise des prix, elle était de garde et aucune de ses collègues n'a pu la remplacer. Ça l'a rendue très malheureuse, je lui ai dit que ce n'était pas grave. Il y aurait une autre cérémonie l'année prochaine et on s'arrangerait pour que cette fois-là elle puisse se libérer.

Alors que je montais sur l'estrade, je jetai des coups d'œil vers la tribune où les parents d'élèves avaient pris place en espérant y voir mon père, peut-être qu'il s'était faufilé au milieu des autres pères pour me faire une surprise. Lui aussi devait être de garde, mes parents n'ont pas de chance, je ne peux pas leur en vouloir, ce n'est pas leur faute.

Le bonheur de la remise des prix de fin d'année, c'est justement la fin de l'année. Deux mois sans voir Marquès et Élisabeth roucouler comme deux crétins sous le marronnier de la cour, on appelle ça l'été et c'est la plus belle des saisons.

L'avantage de vivre dans ma petite ville, c'est qu'on n'a pas vraiment besoin d'aller très loin pour partir en vacances. Entre l'étang pour aller se baigner et la forêt pour pique-niquer, on a tout ce qu'il faut sur place. Luc aussi restait, ses parents ne pouvaient pas fermer la boulangerie. Les gens auraient été obligés d'acheter leur pain au supermarché et la maman de Luc dit que quand on prend des mauvaises habitudes c'est très dur de s'en défaire.

Fin juillet, il s'est passé un truc épatant. Luc a hérité d'une petite sœur. C'était assez rigolo de la voir gigoter dans son berceau. Luc n'était plus tout à fait le même depuis la naissance de sa sœur, moins insouciant, il pensait à son rôle de grand frère et me parlait souvent de ce qu'il ferait plus tard. Moi aussi, j'aurais aimé avoir une petite sœur ou un petit frère.

Au mois d'août maman eut droit à dix jours de congés. Nous avons emprunté la voiture d'une de ses amies et nous avons roulé jusqu'à la mer. C'était la deuxième fois de ma vie que je m'y rendais.

Ça vieillit pas la mer, la plage était pareille la dernière fois.

C'est dans ce petit village au bord de l'eau que j'ai rencontré Cléa. Une fille bien plus jolie qu'Élisabeth. Cléa était sourde et muette de naissance, une amie faite pour moi, nous nous sommes tout de suite très bien entendus.

Pour compenser sa surdité, Dieu a donné de grands yeux à Cléa, ils sont immenses, c'est ce qui fait toute la beauté de son visage. À défaut d'entendre elle voit tout, aucun détail ne lui échappe. En fait, Cléa n'est pas vraiment muette, ses cordes vocales sont intactes, mais comme elle n'a jamais pu entendre les mots, elle ne sait pas les prononcer. Ça semble assez logique. Quand elle essaie de parler, les sons rauques qui sortent de sa gorge font un peu peur au début, mais dès qu'elle rit, alors sa voix ressemble à la musique d'un violoncelle et j'adore le violoncelle. Ce n'est pas parce que Cléa ne dit rien qu'elle est moins intelligente que les autres filles de son âge. Bien au contraire, elle connaît des poésies par cœur qu'elle récite avec les mains. Cléa se fait comprendre par des gestes. Ma première amie sourde et muette a un caractère bien trempé. Pour dire qu'elle a envie d'un Coca-Cola, par exemple, elle fait des trucs incroyables avec ses doigts, et ses parents devinent aussitôt ce qu'elle veut. J'ai tout de suite appris comment on dit « non » en langage des signes quand elle a demandé si on pouvait avoir une deuxième glace.

J'avais acheté une carte postale au bazar de la plage pour écrire à mon père. J'ai rempli la partie gauche en m'appliquant à écrire tout petit, vu le manque de place, mais au moment de remplir les lignes à droite, mon crayon est resté suspendu dans le vide, et moi avec. Je ne savais pas où l'adresser. Me rendre compte que j'ignorais où vivait mon père m'a fichu un de ces coups... J'ai repensé à la petite phrase d'Yves sur le banc de la cour, quand il me disait que l'avenir était devant moi. Assis sur le sable, je ne voyais devant moi que les mouettes plonger dans l'eau pour attraper des poissons, et ça me ramenait aux parties de pêche avec papa.

La vie peut basculer à une vitesse incroyable. Tout va très mal et soudain un événement imprévu change le cours des choses. J'avais envie d'une autre existence, je n'avais eu ni frère ni sœur, mais, comme Luc, je réfléchissais à mon avenir. L'été de ces vacances au bord de la mer avec maman, ma vie a chaviré.

Dès que j'ai rencontré Cléa, j'ai su que plus rien ne serait comme avant. Le jour de la rentrée, les copains seraient verts de jalousie en apprenant que j'avais une amie sourde-muette, je me réjouissais de voir la tête que ferait Élisabeth.

Cléa dessine des mots dans l'air, de la poésie atmosphérique. Élisabeth ne lui arrive pas à la cheville. Mon père disait qu'il ne faut jamais comparer les gens, chaque personne est différente, l'important est de trouver la différence qui vous convient le mieux. Cléa était ma différence.

Par une fin de matinée ensoleillée, la première depuis le début de notre séjour, Cléa s'est approchée de moi alors que nous nous promenions sur le port. Jamais nous n'avions été si proches. Nos ombres se frôlaient sur la jetée, j'ai eu peur et j'ai fait un pas en arrière. Cléa n'a pas compris ma réaction. Elle m'a regardé longuement, j'ai vu du chagrin dans ses yeux, puis elle est partie en courant. J'ai eu beau l'appeler de toutes mes forces, elle ne s'est pas retournée. Quel crétin, elle pouvait pas m'entendre ! J'avais rêvé de lui prendre la main dès les premiers instants de notre rencontre. Face à la mer, nous aurions eu plus belle allure qu'Élisabeth et Marquès sous leur pauvre marronnier de cour d'école. Si j'avais reculé, c'est parce que je ne voulais surtout pas lui voler son ombre. Je ne voulais rien savoir d'elle qu'elle n'ait voulu me dire avec ses mains. Cléa ne pouvait pas deviner ça et mon mouvement de recul lui avait fait de la peine.

Le soir, je n'ai pas cessé de réfléchir à la façon de me faire pardonner et de nous réconcilier.

Après avoir pesé le pour et le contre, je me suis convaincu qu'il n'y avait qu'un seul moyen de réparer le mal que je lui avais fait : lui dire la vérité. Partager mon secret avec Cléa était à mes yeux la seule solution si je voulais vraiment qu'on apprenne à se connaître. À quoi ça sert de vouloir se lier à quelqu'un, si on ne prend pas le risque de lui faire confiance ?

Restait à trouver comment le lui révéler. Mon niveau en langage de sourd-muet était encore assez limité et je manquais de gestes pour lui raconter une telle histoire.

Le lendemain, le ciel était couvert. Agenouillée sur un rocher au bout de la jetée, Cléa jouait à faire des ricochets en lançant des galets dans l'eau. Sa mère, trop heureuse qu'elle ait un ami, m'avait confié que c'était son refuge, elle s'y rendait chaque matin. Je suis allé à sa rencontre et me suis assis près d'elle. Nous avons regardé un long moment les vagues venir se fracasser contre la grève. Cléa faisait comme si je n'étais pas là, elle m'ignorait. J'ai réuni toutes mes forces et j'ai avancé ma main vers la sienne, espérant la frôler, mais Cléa s'est levée et elle s'est éloignée en sautillant de rocher en rocher. Je l'ai suivie, je me suis planté face à elle et j'ai pointé du doigt nos ombres, qui s'étiraient sur la jetée. Je lui ai demandé de ne pas bouger, j'ai fait un pas de côté et mon ombre a recouvert la sienne. Puis j'ai reculé et les yeux de Cléa sont devenus encore plus grands. Elle a tout de suite compris ce qui venait de se passer. Pour quelqu'un d'un tant soit peu observateur, ce n'était pas si difficile, l'ombre devant moi avait les cheveux longs, celle devant elle, les cheveux courts. Je me suis bouché les oreilles, en espérant que son ombre serait aussi muette qu'elle, mais j'ai tout de même eu le temps de l'entendre me dire « Au secours, aide-moi ». Je me suis agenouillé et j'ai crié « Tais-toi, je t'en supplie, tais-toi ! » et j'ai aussitôt fait en sorte que nos ombres se recouvrent à nouveau pour que tout rentre dans l'ordre.

Cléa a dessiné un grand point d'interrogation dans l'air. J'ai haussé les épaules et cette fois, c'est moi qui suis parti. Cléa courait derrière moi, j'ai eu peur qu'elle glisse sur les rochers, j'ai ralenti l'allure. Elle m'a pris par la main, elle aussi voulait partager un secret avec moi. Pour que nous soyons quittes.

Au bout de la jetée se dresse un petit phare de rien du tout. À le regarder planté là tout seul, on dirait que ses parents l'ont abandonné et qu'il a cessé de grandir. Sa lanterne est éteinte, il n'éclaire plus la mer depuis longtemps.

Ce vieux phare abandonné au bout de la jetée, c'est le vrai lieu secret de Cléa. Depuis qu'elle me l'a fait découvrir, elle m'y emmène dès que nous nous retrouvons. Nous passons sous la chaîne à laquelle se balance un vieux panneau rouillé sur lequel est écrit *Accès interdit*, nous poussons la porte en fer dont la serrure rongée par le sel a rendu l'âme et grimpons l'escalier jusqu'au balcon de veille. Cléa monte la première à l'échelle qui mène à la coupole et nous restons là des heures entières à guetter les bateaux et scruter l'horizon. Cléa dessine les vagues d'un délicat mouvement du poignet gauche et sa main droite ondule pour figurer les grands voiliers qui croisent au large. Quand le soleil décline, elle fait un cercle en joignant ses pouces et ses index, elle fait glisser derrière mon dos le soleil inventé par ses mains, puis son rire de violoncelle envahit tout l'espace.

Le soir, lorsque maman me demande où j'ai passé ma journée, je lui parle d'un endroit sur la plage, à l'opposé d'un phare qui n'appartient qu'à Cléa et à moi, un petit phare de rien du tout, un phare abandonné que nous avons adopté.

Le troisième jour des vacances, Cléa n'a pas voulu monter à la coupole, elle est restée assise au pied du phare et j'ai deviné à son air renfrogné qu'elle attendait quelque chose de moi. Elle a sorti un petit bloc-notes de sa poche et a griffonné sur une feuille de papier qu'elle m'a tendue : « Comment fais-tu ça ? »

À mon tour j'ai pris son bloc-notes pour lui répondre.

– Fais quoi ?

– Ton truc avec les ombres, a écrit Cléa.

– Je n'en ai pas la moindre idée, c'est venu comme ça et je m'en serais bien passé.

Grattement de crayon sur la feuille de papier, Cléa a raturé sa ligne, elle avait changé d'idée en cours d'écriture. Sous le trait j'avais pu quand même lire « Tu es fou ! » mais elle avait finalement préféré me dire « Tu as de la chance, est-ce que les ombres te parlent ? »

Comment elle avait pu deviner ? J'étais incapable de lui mentir.

– Oui !

– Est-ce que la mienne est muette ?

– Non, je ne crois pas.

– Tu ne crois pas ou tu en es sûr ?

– Elle n'est pas muette.

– C'est normal, moi non plus je ne suis pas muette dans ma tête. Tu veux bien parler avec mon ombre ?

– Non, j'aime mieux parler avec toi.

– Qu'est-ce qu'elle t'a dit ?

– Rien d'important, c'était trop court.

– Elle a une jolie voix, mon ombre ?

Je n'avais pas saisi toute l'importance, pour Cléa,

de la question qu'elle venait de me poser. C'était comme si une personne aveugle me demandait à quoi ressemblait son reflet dans un miroir. La différence de Cléa se trouvait dans son silence, ça la rendait unique à mes yeux, mais Cléa rêvait de ressembler à n'importe quelle autre fille de son âge, une fille qui pourrait s'exprimer autrement que par signes. Si elle avait su combien sa différence était belle.

J'ai pris le crayon.

– Oui, Cléa, la voix de ton ombre est claire, ravissante et mélodieuse. Elle te correspond parfaitement.

J'ai rougi en écrivant ces lignes et Cléa aussi en les lisant.

– Pourquoi es-tu triste ? m'a demandé Cléa.

– Parce que les vacances vont forcément finir et que tu vas me manquer.

– Nous avons encore une semaine devant nous, et puis si tu reviens l'an prochain, tu sauras où me trouver.

– Oui, au pied du phare.

– Je t'y attendrai dès le premier jour des vacances.

– Tu promets ?

Cléa a dessiné une promesse avec ses mains. C'est bien plus beau qu'avec des mots.

Une éclaircie perçait le ciel, Cléa leva la tête et écrivit sur le bloc-notes :

– Je voudrais que tu marches encore sur mon ombre, que tu me dises ce qu'elle te raconte.

J'ai hésité, mais j'ai voulu lui faire plaisir, alors je me suis avancé vers elle. Cléa a posé ses mains sur mes épaules et s'est approchée tout près de moi. J'avais le cœur qui battait à cent à l'heure, je ne prêtais aucune attention à nos ombres, seulement aux yeux immenses de Cléa qui se rapprochaient de mon visage, à m'en faire loucher. Nos nez se sont frôlés, Cléa a jeté son chewing-gum, mes jambes étaient toutes molles, j'avais l'impression que j'allais m'évanouir.

J'ai entendu dire dans un film que les baisers avaient un goût de miel, avec Cléa ils avaient le goût du chewing-gum à la fraise qu'elle avait jeté avant de m'embrasser. À écouter mon cœur tambouriner dans ma poitrine, je me suis dit qu'on pouvait peut-être mourir d'un baiser. J'avais quand même envie qu'elle recommence, mais elle a reculé. Elle me dévisageait. Elle a souri et a écrit sur la feuille de papier, avant de partir en courant :

– Tu es mon voleur d'ombre, où que tu sois, je penserai toujours à toi.

Voilà comment la vie peut chavirer, un mois d'août. Il suffit de rencontrer une Cléa pour que plus aucun matin ne soit le même, pour que plus rien ne soit comme avant, pour que la solitude s'efface.

Le soir qui a suivi mon premier baiser, j'ai eu envie d'écrire à Luc ce qui m'était arrivé. Peut-être pour prolonger cet instant. Parler de Cléa, c'était la garder encore un peu avec moi. Et puis j'ai déchiré la lettre en mille morceaux.

Le lendemain, Cléa n'était pas au pied du phare. J'ai fait dix allers-retours sur la jetée en l'attendant. J'ai eu peur qu'elle soit tombée à l'eau. C'est drôlement dangereux de s'attacher à quelqu'un. C'est incroyable ce que ça peut faire mal. Rien que la peur de perdre l'autre est douloureuse. Jamais je n'aurais imaginé cela avant. Pour papa, je n'avais pas eu le choix, on ne choisit pas son père et encore moins le fait qu'il décide un jour de vous quitter, mais Cléa, c'était différent. Avec elle, tout était différent. Je broyais du noir quand soudain j'ai entendu au loin la mélodie du violoncelle. Cléa était sur le port en compagnie de ses parents devant la baraque du marchand de glaces. Son père avait renversé son cornet sur sa chemise et Cléa riait aux éclats. Je ne savais pas quoi faire, rester là ou courir la rejoindre ? La maman de Cléa m'a adressé un signe de la main. Je lui ai retourné son bonjour et je suis parti dans la direction opposée.

Je passai une sale journée à attendre Cléa sans comprendre pourquoi ça me rendait si cafardeux. La digue où nous nous promenions encore la veille était battue par les vagues. D'être là, tout seul, me rendait triste à crever. Je devais avoir croisé la pire des ombres, celle de l'absence, et sa compagnie était détestable. Je n'aurais pas dû faire confiance à Cléa, et lui révéler mon secret. Je n'aurais pas dû la rencontrer. Quelques jours plus tôt, je n'avais pas besoin d'elle, ma vie était ce qu'elle était mais au moins elle tenait debout. Maintenant, sans nouvelles de Cléa, tout s'écroulait autour de moi. C'est moche d'avoir à guetter un signe de quelqu'un pour se sentir heureux. J'ai quitté la jetée et je suis allé me promener près du bazar de la plage. J'avais envie d'écrire à mon père, alors j'ai chapardé une grande carte postale sur le tourniquet et je me suis installé à une table de la buvette. À cette heure-là, il n'y avait pas grand monde, le serveur n'a rien dit.

Papa,

Je t'écris du bord de la mer où maman et moi passons quelques jours de vacances. J'aurais aimé que tu sois avec nous, mais les choses sont ce qu'elles sont. J'aimerais avoir de tes nouvelles, savoir que tu es heureux. Côté bonheur, pour moi, ça va ça vient. Si tu avais été là, je t'aurais raconté ce qui m'arrive et j'imagine que ça m'aurait fait du bien. Tu m'aurais donné des conseils. Luc dit qu'il n'en peut plus des conseils de son père, moi je suis en manque.

Maman prétend que l'impatience tue l'enfance, je voudrais tellement grandir, papa, être libre de voyager, fuir les endroits où je ne me sens pas bien. Adulte, je partirai à ta rencontre, je te retrouverai, où que tu sois.

Si d'ici là nous ne nous sommes pas revus, nous aurons tant de choses à nous raconter qu'il nous faudra cent déjeuners pour tout se dire, ou au moins une semaine de vacances rien qu'à nous deux. Ce serait formidable de pouvoir passer autant de temps ensemble. Je devine que ça doit être trop compliqué et je me demande pourquoi. Chaque fois que j'y pense, je me demande aussi pourquoi tu n'écris pas. Toi, tu sais où j'habite. Peut-être que tu répondras à cette carte postale, peut-être que je trouverai une lettre de toi en rentrant à la maison, peut-être que tu viendras me chercher ?

Je crois que j'en ai marre des peut-être.

Ton fils qui t'aime quand même.

J'ai traîné les pieds jusqu'à la boîte aux lettres. Tant pis si j'ignorais où vivait mon père. J'ai fait comme pour Noël, je l'ai postée, sans timbre ni adresse.

*

Sur l'étal du bazar pendait un joli cerf-volant en papier de Chine. Il avait la forme d'un aigle. J'ai dit au marchand que maman viendrait le payer plus tard. J'ai une tête qui inspire confiance, je suis parti avec mon cerf-volant sous le bras.

Quarante mètres de fil, c'était inscrit sur l'emballage. À quarante mètres du sol, on doit voir toute la station balnéaire, le clocher de l'église, la rue du marché, le manège de chevaux de bois et la route qui file vers la campagne. Si on lâche la ficelle, on doit découvrir tout le pays, et si les vents sont favorables, faire le tour de la terre, voir de très haut ceux qui vous manquent. J'aurais voulu être un cerf-volant.

Mon aigle grimpait joliment, la bobine de fil n'était pas complètement dévidée, mais il volait fièrement dans le ciel. Son ombre se promenait sur le sable, les ombres de cerfs-volants sont des ombres mortes, ce ne sont que des taches. Quand j'en ai eu assez, j'ai ramené l'oiseau à moi, lui ai replié les ailes et nous sommes rentrés. En arrivant à la maison d'hôtes, j'ai cherché un endroit où le cacher, et puis j'ai changé d'avis.

J'ai pris un sérieux savon après avoir présenté à maman le cadeau qu'elle m'avait offert. Elle a menacé de le jeter à la poubelle, puis elle a eu une idée encore plus cruelle : me forcer à le rapporter au marchand du bazar et trouver les mots pour excuser, je cite, ma conduite inexcusable. J'ai usé de mon sourire contrit dévastateur, mais il n'a pas du tout dévasté ma mère. J'ai dû aller me coucher sans manger, ça n'avait aucune importance, quand je suis contrarié je n'ai pas faim.

*

Le lendemain, à 10 h 30, garée devant le bazar de la plage, maman a ouvert la portière de la voiture et m'a lancé d'un air menaçant :

– Allez, sors de là, et dépêche-toi, tu sais ce que tu dois faire !

Mon supplice avait débuté après le petit déjeuner. Il avait fallu rembobiner le fil pour que la bobine soit impeccablement enroulée, replier les ailes de mon aigle et les nouer avec un ruban que maman m'avait donné. Le trajet s'était passé dans un silence solennel. La suite de l'épreuve consistait à traverser l'esplanade jusqu'au bazar, et à rendre le cerf-volant au marchand en m'excusant d'avoir abusé de sa confiance. Je me suis éloigné, les épaules lourdes, mon cerf-volant sous le bras.

Depuis la voiture, maman avait l'image, mais pas le son. Je me suis approché du marchand, prenant un air de martyr, et lui ai dit que ma mère n'avait plus de sous pour mon anniversaire et qu'elle ne pouvait pas lui payer mon aigle. Le marchand m'a répondu que c'était pourtant un cadeau qui ne coûtait pas bien cher. J'ai répliqué que ma mère était tellement radine que « pas cher » n'existait pas dans son vocabulaire. J'ai ajouté que j'étais vraiment désolé, le cerf-volant était comme neuf, il n'avait volé qu'une fois et encore, pas très haut. Je lui ai proposé de l'aider à ranger son magasin pour le dédommager. J'ai imploré sa clémence, si je repartais sans avoir résolu le problème, je n'aurais pas non plus de cadeau à Noël. Mon plaidoyer avait dû être convaincant, le marchand semblait tout chamboulé. Il a jeté un regard noir vers ma mère et m'a fait un clin d'œil en m'affirmant qu'il se faisait un plaisir de me l'offrir, ce cerf-volant. Il voulait même aller en toucher deux mots à maman mais je l'ai convaincu que c'était pas une bonne idée. Je l'ai remercié plusieurs fois et je lui ai demandé de bien vouloir garder mon cadeau, je repasserais le prendre un peu plus tard. Je suis retourné à la voiture, jurant que j'avais rempli ma mission. Ma mère m'a autorisé à aller jouer sur la plage et elle s'en est allée.

Je n'étais pas vraiment fier d'avoir dit des horreurs sur elle, mais je n'étais pas fâché non plus de m'être vengé.

Dès que sa voiture a disparu, je suis allé récupérer mon aigle et j'ai filé sur la plage où la marée était basse. Faire voler un aigle en entendant craquer les coquillages sous ses pieds a quelque chose d'assez divin.

Le vent était plus fort que la veille, la bobine se dévidait à toute vitesse. En tirant d'un coup sec sur le fil, j'ai réussi ma première figure, un quart de « 8 » presque parfait. L'ombre du cerf-volant glissait au loin sur le sable. Soudain, j'ai découvert à mes côtés une ombre familière. J'ai failli lâcher mon aigle. Cléa se tenait à ma droite.

Elle a posé sa main sur la mienne, pas pour la retenir mais pour s'emparer de la poignée du cerf-volant. Je la lui ai confiée, le sourire de Cléa était irrésistible et j'aurais été bien incapable de lui refuser quoi que ce soit.

Ce ne devait pas être son premier coup d'essai. Cléa maniait le cerf-volant avec une agilité à couper le souffle. Des « 8 » complets qui s'enchaînaient, des « S » impeccables. Cléa avait le don de la poésie aérienne, elle arrivait à dessiner des lettres dans le ciel. Quand j'ai enfin compris ce qu'elle faisait, j'ai lu : « Tu m'as manqué. » Une fille qui réussit à vous écrire « Tu m'as manqué » avec un cerf-volant, on ne peut jamais l'oublier.

Cléa a posé l'aigle sur la plage, elle s'est tournée vers moi et s'est assise sur le sable mouillé. Nos ombres étaient jointes. Celle de Cléa s'est penchée vers moi.

– Je ne sais pas ce qui me fait le plus mal, les moqueries que je devine dans mon dos ou les regards condescendants qui s'affichent devant moi. Qui s'attachera un jour à une fille qui ne peut pas parler, à une fille qui pousse des cris quand elle rit ? Qui me rassurera quand j'aurai peur ? Et j'ai déjà tellement peur que je n'entends plus rien, même dans ma tête. J'ai peur de grandir, je suis seule, et mes jours ressemblent à des nuits sans fin que je traverse comme une automate.

Aucune fille au monde n'oserait dire des choses

pareilles à un garçon qu'elle connaît à peine. Cette phrase, Cléa ne l'a pas prononcée, c'est son ombre qui me l'a soufflée sur la plage et j'ai enfin compris pourquoi je l'avais entendue appeler au secours.

– Si tu savais, Cléa, que pour moi tu es la plus jolie fille du monde, celle dont les cris rauques effacent les ciels de grisaille, celle dont la voix sonne comme un violoncelle. Si tu savais qu'aucune fille au monde ne sait faire virevolter les cerfs-volants comme toi.

Cette phrase, je l'ai murmurée dans ton dos pour que tu ne l'entendes pas. Face à toi c'est moi qui étais devenu muet.

Nous nous sommes retrouvés chaque matin sur la jetée, Cléa allait chercher mon cerf-volant au bazar de la plage et nous filions ensemble vers le vieux phare abandonné où nous passions le reste de la journée.

J'inventais des histoires de pirates. Cléa m'apprenait à parler avec les mains, je découvrais la poésie d'un langage que si peu comprennent. Accroché par son fil à la balustrade de la tourelle, l'aigle tournoyait toujours plus haut, jouant dans le vent.

À midi, Cléa et moi nous adossions au pied de la lanterne et partagions le pique-nique préparé par maman. Ma mère savait, nous n'en parlions jamais le soir mais elle avait deviné la complicité qui me liait à la petite fille qui ne parle pas, comme l'appelaient les gens du village. C'est fou ce que les adultes ont peur des mots. Pour moi, « muette » était bien plus joli.

Parfois, après le déjeuner, Cléa s'endormait la tête posée sur mon épaule. C'était je crois le meilleur moment de ma journée, l'instant où elle s'abandonnait. C'est bouleversant quelqu'un qui s'abandonne. Je la regardais dormir, me demandant si elle retrouvait l'usage de la parole dans ses rêves, si elle entendait le timbre clair de sa voix. Chaque fin d'après-midi, nous échangions un baiser avant de nous quitter. Six jours inoubliables.

*

Mes courtes vacances approchaient de leur fin, maman commençait à préparer les valises pendant que je prenais mon petit déjeuner, nous allions bientôt quitter la chambre d'hôtes. Je l'ai suppliée de rester plus longtemps, mais nous devions prendre le chemin du retour si elle voulait garder son travail. Maman a promis que nous reviendrions l'an prochain. Il peut se passer tellement de choses en un an.

Je suis allé dire au revoir à Cléa. Elle m'attendait au pied du phare, elle a tout de suite compris pourquoi je faisais une drôle de tête et elle n'a pas voulu que nous montions. Cléa a fait un geste pour me dire de partir et m'a tourné le dos. J'ai pris dans ma poche un petit mot que j'avais rédigé en cachette la veille au soir, un petit mot où je lui confiais toutes mes pensées. Elle n'a pas voulu le prendre. Alors je l'ai attrapée par la main et je l'ai entraînée vers la plage.

Du bout du pied, j'ai tracé la moitié d'un cœur sur le sable, j'ai roulé ma feuille de papier en cône et l'ai plantée au milieu de mon dessin, et puis je suis parti.

Je ne sais pas si Cléa a changé d'avis, si elle a terminé mon dessin sur le sable. Je ne sais pas si elle a lu mon mot.

*

Sur la route du retour, il m'est arrivé de souhaiter qu'elle n'y ait pas touché et que ma lettre ait été emportée par la marée. Par pudeur peut-être. J'avais écrit qu'elle était celle à qui je penserais en m'éveillant, je lui avais promis qu'en fermant les yeux le soir je verrais apparaître les siens, immenses dans la profondeur de la nuit, comme un vieux phare qui, fier d'avoir été adopté, aurait rallumé sa lanterne. C'était probablement maladroit de ma part.

Il me restait à faire un plein de souvenirs qui me nourriraient pendant les saisons à venir, des réserves de moments heureux pour l'automne, lorsque la nuit se poserait sur le chemin de l'école.

À la rentrée, j'avais décidé de ne rien dire, parler de Cléa pour faire enrager Élisabeth ne m'intéressait plus.

Nous ne sommes jamais retournés dans cette station balnéaire. Ni l'année d'après, ni celles qui suivirent. Je n'ai plus jamais eu de nouvelles de Cléa. J'ai bien pensé à lui écrire en poste restante : Petit phare abandonné au bout d'une jetée. Mais inscrire cette adresse eût été déjà trahir un secret.

J'ai embrassé Élisabeth deux ans plus tard. Son baiser n'avait ni le goût du miel ni celui de la fraise, à peine un parfum de revanche sur Marquès dont j'avais désormais la taille. Trois mandats consécutifs de délégué de classe finissent par vous conférer une certaine aura.

Le jour suivant ce baiser, Élisabeth et moi nous sommes séparés.

Je ne me suis pas représenté à l'élection, et Marquès a été élu à ma place. Je lui laissai bien volontiers ma fonction. J'avais pris à jamais la politique en grippe.

2

À la peur de la nuit a succédé celle de la solitude. Je n'aime pas dormir seul et pourtant c'est ainsi que je vis, dans un studio sous les toits d'un immeuble non loin de la faculté de médecine. J'ai fêté hier mes vingt ans. Avec cette fichue avance dans ma scolarité, j'ai dû les célébrer sans avoir eu le temps de nouer des amitiés. Les horaires de la faculté ne nous en laissent guère le temps.

J'ai laissé mon enfance, il y a deux ans, derrière un marronnier dans la cour d'une école, dans cette petite ville où j'ai grandi.

Le jour de la remise des diplômes, ma mère était présente, une collègue de travail l'avait remplacée pour l'occasion. J'aurais juré avoir aperçu la silhouette de mon père au loin derrière les grilles, mais j'avais dû rêver, j'ai toujours eu trop d'imagination.

J'ai laissé mon enfance sur le chemin de la maison, où les pluies d'automne ruisselaient sur mes épaules, dans un grenier où je parlais aux ombres en regardant la photo de mes parents au temps où ils s'aimaient encore.

J'ai laissé mon enfance sur un quai de gare en disant au revoir à mon meilleur ami, fils d'un boulanger, en serrant ma mère dans mes bras, lui promettant que je reviendrais la voir dès que possible.

Sur ce quai de gare, je l'ai vue pleurer. Cette fois, elle n'avait pas cherché à détourner son visage. Je n'étais plus l'enfant qu'elle voulait protéger de tout, y compris de ses larmes, de cette tristesse qui ne l'avait jamais vraiment quittée.

Penché à la fenêtre du wagon, alors que le convoi s'ébranlait, j'ai vu Luc lui prendre la main pour la consoler.

Mon monde tournait à l'envers, Luc aurait dû monter dans ce compartiment, c'était lui le surdoué en sciences ; et de nous deux, celui qui aurait dû s'occuper d'une infirmière qui avait consacré sa vie aux autres et surtout à son fils, c'était moi.

*

Quatrième année de médecine.

Maman a pris sa retraite, elle s'occupe désormais de la bibliothèque municipale. Le mercredi, elle joue à la belote avec trois amies.

Elle m'écrit souvent. Entre les heures de cours et les gardes de nuit, je n'ai guère le temps de lui répondre. Elle vient me voir deux fois par an. À l'automne comme au printemps, elle s'installe dans un petit hôtel à deux pas de l'Hôpital universitaire et parcourt les musées en attendant que mes journées s'achèvent.

Nous allons nous promener le long du fleuve. Au cours de ces balades, elle me fait parler de ma vie et me prodigue mille conseils, sur ce qu'il faut faire pour devenir un médecin plein d'humanité – à ses yeux c'est aussi important que d'être un bon médecin. Elle en a fréquenté beaucoup en quarante années de métier, elle distingue d'un coup d'œil ceux qui privilégient leur carrière à leurs patients. Je l'écoute en silence. Après la promenade, je l'emmène dîner dans un petit troquet qu'elle affectionne et où elle tient toujours à payer nos repas. « Plus tard, quand tu seras docteur, tu m'inviteras dans un grand restaurant », me dit-elle en s'emparant chaque fois de l'addition.

Ses traits ont changé, mais ses yeux débordent d'une tendresse qui ne vieillit pas. Vos parents vieillissent jusqu'à un certain âge, où leur image se fige en votre mémoire. Il suffit de fermer les yeux et de penser à eux pour les voir à jamais tels qu'ils étaient, comme si l'amour qu'on leur porte avait le pouvoir d'arrêter le temps.

À chacun de ses séjours, elle se fait un devoir de remettre ma tanière en ordre. Lorsqu'elle repart, je trouve dans mon armoire un lot de chemises neuves et, sur mon lit, des draps propres dont le parfum me rappelle la chambre de mon enfance.

J'ai toujours, posées sur ma table de nuit, une lettre qu'elle m'avait écrite à ma demande et une photo trouvée dans le grenier.

Lorsque je la raccompagne à la gare, elle me serre dans ses bras avant de monter dans son wagon, et son étreinte est si forte que je crains chaque fois de ne plus jamais la revoir. Je regarde son train disparaître dans la courbe des rails, il file vers la petite ville où j'ai grandi, vers mon enfance qui se trouve à six heures de l'endroit où je vis désormais.

La semaine suivant son départ, je reçois toujours une lettre. Elle m'y raconte son voyage, ses parties de belote et me donne une liste d'ouvrages à lire sans attendre. Je n'ai hélas pour seule lecture que des manuels de médecine, que je révise la nuit en préparant mon internat.

J'alterne mes gardes entre les Urgences et la pédiatrie, mes patients demandent beaucoup d'attention. Mon chef de service est un type bien, un professeur craint pour ses coups de gueule. Ils se font entendre à la moindre négligence, à la moindre erreur. Mais il nous transmet son savoir et c'est ce que nous attendons de lui. Chaque matin, en commençant les visites, il nous répète inlassablement que la médecine n'est pas un métier mais une vocation.

À l'heure de ma pause, je file chercher un sandwich à la cafétéria et m'installe dans le jardin qui borde notre pavillon. J'y croise certains de mes petits patients, ceux qui sont en convalescence. Ils prennent l'air en compagnie de leurs parents.

C'est là, devant un carré de pelouse fleurie, que ma vie a chaviré pour la seconde fois.

*

Je somnolais sur un banc. Faire des études de médecine, c'est lutter en permanence contre le manque de sommeil. Une consœur étudiante en quatrième année vint s'asseoir à côté de moi, me sortant de ma torpeur. Sophie est une fille pétillante et jolie, nous sommes complices et flirtons depuis des mois sans jamais avoir donné de nom à notre relation. Nous jouons à être amis, faisant semblant d'ignorer le désir de l'autre. Nous savons tous deux que nous n'avons pas le temps de vivre une vraie liaison. Ce matin-là, Sophie me parlait pour la énième fois d'un cas qui la préoccupait. Un garçon de dix ans ne pouvait plus s'alimenter depuis deux semaines. Aucune pathologie n'expliquait son état, son système digestif ne montrait nul désordre justifiant que le moindre aliment ingéré soit aussitôt rejeté. L'enfant était sous perfusion et sa condition empirait de jour en jour. Les trois psychologues appelés à son chevet n'avaient pu venir à bout du mystère. Sophie était obsédée par ce petit bonhomme, au point de ne rien vouloir faire d'autre que de chercher une solution à son mal. Souhaitant renouer avec les soirées hebdomadaires où nous révisions ensemble, non sans une certaine ambiguïté, je lui promis de consulter le dossier et de réfléchir de mon côté. Comme si nous, simples externes, pouvions être plus intelligents que le corps médical qui œuvrait dans cet hôpital. Mais chaque élève ne rêve-t-il pas de dépasser ses maîtres ?

Elle me parlait de la dégradation de l'état de l'enfant lorsque mon attention fut distraite par une petite fille qui jouait à la marelle dans l'allée du jardin. Je l'observai attentivement et compris soudain qu'elle ne sautait pas de case en case, selon la règle. Son jeu était d'une tout autre nature. La petite fille bondissait à pieds joints sur son ombre, espérant ainsi la prendre de vitesse.

Je demandai à Sophie si son petit patient était encore en état de se déplacer en chaise roulante et lui proposai de l'amener jusqu'ici. Sophie aurait préféré que je monte le voir dans sa chambre mais j'insistai, la priant de ne pas perdre de temps. Le soleil disparaîtrait bientôt derrière la toiture du bâtiment principal et j'avais besoin de lui. Elle rechigna mais finit par céder.

Dès qu'elle fut partie, je m'approchai de la petite fille et lui fis promettre de garder secret ce que je m'apprêtais à lui confier. Elle m'écouta attentivement et accepta ma proposition.

Sophie revint un quart d'heure plus tard, poussant la chaise où son petit malade était sanglé. La pâleur de sa peau et ses joues émaciées témoignaient de l'état de faiblesse dans lequel il se trouvait. Je comprenais mieux, en le voyant ainsi, combien Sophie devait être préoccupée. Elle s'arrêta à quelques mètres de moi, et je lus dans ses yeux qu'elle m'interrogeait ; une façon silencieuse de me demander « Et maintenant ? » Je lui suggérai de pousser la chaise roulante jusqu'à la petite fille. Sophie s'exécuta et me rejoignit sur le banc.

– Tu penses qu'une gamine de onze ans va le soigner, c'est ça ton remède miracle ?

– Laisse-lui le temps de s'intéresser à elle.

– Elle joue à la marelle, en quoi veux-tu qu'il s'intéresse à elle ? Bon, ça suffit comme ça, je le remonte dans sa chambre.

J'attrapai Sophie par le bras et l'empêchai de partir.

– Quelques minutes au grand air ne peuvent pas lui faire de mal. Je suis certain que tu dois avoir d'autres patients à visiter, laisse-les-moi tous les deux, je peux les surveiller pendant ma pause. Ne t'inquiète pas, je veille au grain.

Sophie rejoignit l'aile de pédiatrie. Je m'approchai des enfants, ôtai les sangles qui retenaient le petit garçon à son fauteuil et le portai dans mes bras jusqu'au carré de pelouse. Je m'y installai, l'asseyant sur mes genoux, dos tourné aux derniers rayons du soleil. La petite fille retourna à son jeu, ainsi que nous en étions convenus.

– Qu'est-ce qui te fait si peur, mon bonhomme, pourquoi te laisses-tu dépérir ?

Il releva les yeux sans rien dire. Son ombre si frêle se fondait à la mienne. L'enfant s'abandonna au creux de mes bras et posa sa tête sur mon torse. J'ai prié pour que revienne l'ombre de mon enfance, cela faisait si longtemps.

Aucun enfant au monde n'aurait pu inventer ce que j'allais entendre. Je ne sais pas qui de lui ou de son ombre me le murmura, j'avais perdu l'habitude de ce genre de confidences.

Je portai le petit garçon jusqu'à son fauteuil et rappelai la petite fille pour qu'elle revienne à ses côtés avant le retour de Sophie, puis je retournai m'installer sur le banc.

Lorsque Sophie me rejoignit, je lui racontai que la championne de saut à la marelle et son jeune patient avaient sympathisé. Elle avait même réussi à lui faire dire ce qui le traumatisait et accepté de me le révéler. Sophie me regarda, interloquée.

Le petit garçon s'était entiché d'un lapin, un animal devenu son confident, son meilleur ami. Seulement voilà, deux semaines plus tôt, le lapin s'était fait la belle et le soir de sa disparition, à la fin du dîner, la mère de l'enfant avait demandé à sa famille si l'on avait apprécié le civet qu'elle avait cuisiné. L'enfant en conclut aussitôt que son lapin était mort et qu'il l'avait bouffé. Dès lors, il n'avait plus qu'une idée en tête, expier sa faute et rejoindre son meilleur ami là où il devait se trouver. On devrait peut-être réfléchir à deux fois avant de dire aux enfants que ceux qui meurent s'en vont vivre, sans eux, au ciel.

Je me levai et laissai Sophie, pantoise, sur son banc. Maintenant que j'avais découvert le problème, l'important était de réfléchir à la façon de le résoudre.

À la fin de ma garde, je trouvai un mot dans mon casier, Sophie m'ordonnait de la rejoindre chez elle, quelle que soit l'heure de la nuit.

*

J'ai sonné à sa porte à 6 heures du matin. Sophie m'accueillit, les yeux gonflés de sommeil ; elle portait pour seul vêtement une chemise d'homme.

Je la trouvais plutôt séduisante dans cette tenue, même si cette chemise n'était pas à moi.

Elle me servit une tasse de café dans sa cuisine et me demanda comment j'avais réussi là où trois psychologues avaient échoué.

Je lui rappelai que les enfants ont un langage que nous avons oublié, une façon bien à eux de communiquer.

– Et tu avais imaginé qu'il se confierait à cette gamine !

– J'espérais que la chance nous sourirait, une chance, même infime, cela vaut le coup de la tenter, non ?

Sophie m'interrompit pour me confondre dans mon mensonge. La petite fille lui avait avoué qu'elle jouait à la marelle pendant que j'étais resté avec son patient.

– C'est sa parole contre la mienne, répondis-je en souriant à Sophie.

– C'est drôle, répliqua-t-elle aussi sec, je lui ferais plutôt confiance à elle qu'à toi.

– Je peux savoir qui t'a offert cette chemise ?

– Je l'ai achetée dans une friperie.

– Tu vois, tu mens aussi mal que moi.

Sophie se leva et se rendit à la fenêtre.

– J'ai appelé ses parents hier à midi, ce sont des gens de la campagne, ils ne soupçonnaient pas que leur fils s'était autant attaché à ce lapin et voyaient encore moins pourquoi à celui-là en particulier. Ils ne comprennent pas. Pour eux, on élève les lapins pour les manger.

– Demande-leur dans quel état ils seraient si on les avait obligés à manger leur chien.

– Ça ne sert à rien de les blâmer, ils sont dévastés. La mère ne cesse de pleurer et le père n'en mène pas large. Tu as une idée pour sortir leur enfant de cette impasse ?

– Peut-être. Qu'ils trouvent un très jeune lapin, aussi roux que l'original, et qu'ils nous l'amènent au plus vite.

– Tu veux faire entrer un lapin à l'hôpital ? Si le chef de clinique l'apprend, c'est ton idée, moi je ne te connais pas.

– Je ne t'aurais pas dénoncée. Tu peux enlever cette chemise maintenant ? Je la trouve assez moche.

*

Tandis que Sophie prenait sa douche, je somnolais sur son lit, j'étais bien trop épuisé pour rentrer chez moi. Elle commençait son service une heure plus tard et j'en avais dix devant moi pour récupérer un peu de sommeil. Nous nous verrions à l'hôpital, cette nuit je travaillais aux Urgences, elle à l'étage de pédiatrie, nous serions tous deux de garde mais dans deux bâtiments différents.

À mon réveil, je trouvai une assiette de fromages sur la table de la cuisine et un petit mot. Sophie m'invitait à passer la voir dans son service si j'en avais le temps. En lavant mon assiette, j'aperçus dans la poubelle la chemise qu'elle portait en m'accueillant.

J'arrivai aux Urgences à minuit, l'intendante des admissions m'annonça que la soirée était calme, j'aurais presque pu rester chez moi, me dit-elle en inscrivant mon nom au tableau des externes de service.

Personne ne peut expliquer pourquoi certaines nuits, les Urgences débordent de monde en souffrance tandis que d'autres, rien ou presque ne se passe. Vu mon état de fatigue, je n'allais pas m'en plaindre.

Sophie me rejoignit à la cafétéria. Je m'étais assoupi, la tête posée sur mes bras, le nez contre la table. Elle me réveilla d'un coup de coude.

– Tu dors ?

– Plus maintenant, répondis-je.

– Mes fermiers ont trouvé la perle rare, un lapereau roux, exactement comme tu l'avais demandé.

– Où sont-ils ?

– Dans un hôtel du quartier, ils attendent mes instructions. Je suis externe en pédiatrie, pas vétérinaire, si tu pouvais m'éclairer sur la suite de ton plan, ça m'aiderait beaucoup.

– Appelle-les, dis-leur de se présenter aux Urgences, j'irai les accueillir.

– À 3 heures du matin ?

– Tu as déjà vu le chef de clinique se promener dans les couloirs à 3 heures du matin ?

Sophie chercha le numéro de l'hôtel dans le petit carnet noir qu'elle gardait toujours dans la poche de sa blouse. Je filai vers le sas des Urgences.

Les parents de son jeune patient avaient l'air hagard. Qu'on leur demande de se réveiller au milieu de la nuit pour apporter un lapin à l'hôpital les étonnait autant que Sophie. Le petit mammifère était caché dans la poche du manteau de la mère, je les fis entrer et les présentai à l'intendante des admissions. Un oncle et une tante de province de passage en ville, venus me rendre visite. Elle ne s'étonna pas outre mesure de l'heure étrange de cette réunion familiale. Pour surprendre quelqu'un qui travaille aux Urgences d'un centre hospitalier, il en faut bien plus que cela.

Je conduisis les parents à travers les couloirs, veillant à éviter les infirmières de garde.

En chemin, j'expliquai à la mère du petit garçon ce que j'attendais d'elle. Nous arrivâmes au palier de l'aile de pédiatrie. Sophie nous y attendait.

– J'ai envoyé l'infirmière de service me chercher un thé au distributeur de la cafétéria, je ne sais pas ce que tu as l'intention de faire, mais fais-le vite. Elle ne tardera pas à revenir. Je nous donne vingt minutes tout au plus, annonça Sophie.

La maman entra seule avec moi dans la chambre de son fils. Elle s'assit sur le lit et lui caressa le front pour le réveiller. Le petit garçon ouvrit les yeux et vit sa mère, comme dans un rêve. Je m'assis de l'autre côté.

– Je ne voulais pas te réveiller mais j'ai quelque chose à te montrer, lui dis-je.

Je lui promis qu'il n'avait pas mangé son lapin et que ce dernier n'était pas mort. Il avait eu un bébé, et ce salaud s'était aussitôt fait la belle pour aller convoler avec une autre lapine. Certains pères font des choses comme ça.

– Le tien attend dans le couloir, tout seul derrière cette porte au beau milieu de la nuit, parce qu'il t'aime plus que tout au monde, comme il aime ta mère d'ailleurs. Maintenant, au cas où tu ne me croirais pas, regarde !

La mère sortit le lapereau de sa poche et le posa sur le lit de son fils, le retenant entre ses mains. L'enfant fixa l'animal. Il avança lentement la main et lui caressa la tête, la maman le lui confia, le contact était noué.

– Ce petit lapin n'a plus personne pour veiller sur lui, il a besoin de toi. Et si tu ne retrouves pas tes forces, il va dépérir. Il faut vraiment que tu recommences à t'alimenter, pour t'occuper de lui.

J'ai laissé l'enfant en compagnie de sa mère. Une fois dans le couloir, j'ai invité son père à les rejoindre, j'avais bon espoir que mon stratagème fonctionne. Cet homme, à l'apparence bourrue, me prit dans ses bras et me serra contre lui. Pendant un court instant, j'aurais voulu être ce petit garçon qui allait retrouver son père.

*

En arrivant le surlendemain à l'hôpital, je découvris un message dans mon casier. Il émanait de la secrétaire de mon chef de service : j'étais prié de me présenter illico à son bureau. Ce genre de convocation était une première pour moi, j'en touchai deux mots à Sophie. L'infirmière de garde avait trouvé des poils de lapin sur la literie du petit patient de la chambre 302, l'enfant avait vendu la mèche contre un jus de fruits et des céréales.

Sophie avait tout expliqué à l'infirmière et, au vu du résultat obtenu, l'avait suppliée de garder le silence sur la nature du remède. Hélas, certaines personnes sont plus attachées au respect des règlements qu'à l'intelligence de s'y dérober parfois. C'est fou comme les réglementations rassurent ceux qui manquent d'imagination.

Après tout, j'avais survécu aux colles à répétition de Mme Schaeffer, soixante-deux en six années de scolarité, soit un samedi sur quatre, je travaillais dans cet hôpital quatre-vingt-seize heures par semaine, que pouvait-il m'arriver de plus ?

Je n'eus pas besoin de me rendre dans le bureau du professeur Fernstein, le grand patron assurait lui-même la visite matinale accompagné de ses deux adjoints. Je me joignis au groupe d'étudiants qui les suivait. Sophie n'en menait pas large lorsque nous entrâmes dans la chambre 302.

Fernstein consulta la feuille accrochée au pied du lit, silence de plomb pendant qu'il en faisait la lecture.

– Voilà donc un garçon qui a recouvré l'appétit ce matin, heureuse nouvelle, n'est-ce pas ? lança-t-il à l'assemblée.

Le psychiatre s'empressa de vanter les bienfaits de la thérapie qu'il avait choisi d'appliquer depuis plusieurs jours.

– Et vous, dit Fernstein, en se tournant vers moi, vous n'avez aucune autre explication pour justifier ce rétablissement soudain ?

– Pas la moindre, professeur, répondis-je en baissant la tête.

– Vous en êtes certain ? insista-t-il.

– Je n'ai pas eu le temps d'étudier le dossier de ce patient, je passe la moitié de mon temps aux Urgences...

– Alors nous devons tous en conclure que l'équipe de psys en charge a excellé dans son travail et lui attribuer tout le mérite de ce succès ? me demanda-t-il en m'interrompant.

– Je ne vois pas ce qui nous permettrait de penser autrement.

Fernstein reposa la feuille au pied du lit et s'approcha du petit garçon. Sophie et moi échangeâmes un regard, elle enrageait. Le vieux professeur caressa les cheveux de l'enfant.

– Je suis ravi que tu ailles mieux, mon garçon, nous allons progressivement te réalimenter et, si tout va bien, d'ici quelques jours nous pourrons enlever ces aiguilles de ton bras et te rendre à ta famille.

La visite se poursuivit de chambre en chambre. Lorsqu'elle s'acheva au bout du palier, le groupe d'étudiants se dispersa, chacun retournant à ses occupations.

Fernstein me rappela alors que je m'éclipsais.

– Deux mots, jeune homme ! me dit-il.

Sophie vint vers nous et s'interposa.

– Je partage l'entière responsabilité de ce qui s'est passé, monsieur, c'est ma faute, dit-elle.

– J'ignore de quelle faute vous me parlez, mademoiselle, aussi, je ne saurais trop vous conseiller de vous taire. Vous devez avoir du travail, fichez-moi le camp !

Sophie ne se le fit pas répéter et me laissa seul en compagnie du professeur.

– Les règlements, jeune homme, me dit-il, sont faits pour vous permettre d'acquérir de l'expérience sans tuer trop de patients, et l'expérience acquise vous permet d'y déroger. J'ignore comment vous avez accompli ce petit miracle, ou ce qui vous a mis sur la piste, et je serais ravi qu'un jour vous ayez l'extrême bonté de m'en toucher un mot, je n'ai eu droit qu'aux grandes lignes. Mais pas aujourd'hui, sans quoi je serais dans l'obligation de vous sanctionner et je suis de ceux qui pensent que dans nos métiers, seul le résultat compte. En attendant, vous devriez considérer la pédiatrie pour votre internat. Lorsque l'on a un don, il est dommage de le gâcher, vraiment dommage.

Sur ces mots, le vieux professeur se retourna sans me saluer.

Ma garde achevée, je rentrai chez moi, préoccupé. Toute la journée et toute la nuit, j'avais ressenti une impression d'inachevé qui me pesait, sans que je réussisse à en identifier la cause.

*

La semaine fut infernale, les Urgences ne désemplissaient pas et mes gardes se prolongeaient bien au-delà des vingt-quatre heures usuelles.

Je retrouvai Sophie le samedi matin, les yeux plus cernés que jamais.

Nous nous étions donné rendez-vous dans un parc, devant le grand bassin où des enfants jouaient à faire naviguer des modèles réduits.

En arrivant, elle me tendit un panier rempli d'œufs, de salaisons et d'un pâté.

– Tiens me dit-elle, c'est de la part des fermiers, ils l'ont déposé pour toi hier à l'hôpital, tu étais déjà parti, ils m'ont chargée de te le remettre.

– Promets-moi que ce n'est pas de la terrine de lièvre !

– Non, c'est du cochon. Les œufs sont tout frais. Si tu viens chez moi ce soir, je te ferai une omelette.

– Comment va ton malade ?

– Il reprend des couleurs un peu plus chaque jour, il sortira bientôt.

Je me penchai en arrière sur ma chaise, mains derrière la nuque, et profitai de la chaleur des rayons du soleil.

– Comment as-tu fait ? me demanda Sophie. Trois psys ont tout tenté pour le faire parler, et toi en quelques minutes passées avec lui dans le jardin tu as réussi...

J'étais trop fatigué pour lui donner l'explication logique qu'elle voulait entendre. Sophie avait besoin de rationnel et c'était ce dont je manquais le plus à l'instant où elle me parlait. Les mots sortirent de ma bouche sans que j'y réfléchisse, comme si une force me poussait à dire tout haut ce que je n'avais encore jamais osé avouer, pas même à moi.

– Ce petit garçon ne m'a rien dit, c'est son ombre qui m'a confié de quoi il souffrait.

J'ai reconnu soudain dans les yeux de Sophie le

regard désolé que ma mère m'avait adressé un jour dans le grenier.

Elle resta silencieuse quelques instants, puis se leva.

– Ce ne sont pas nos études qui nous empêchent de vivre une vraie relation, dit-elle, la lèvre tremblante. Nos horaires ne sont qu'un prétexte. La véritable raison, c'est que tu ne me fais pas assez confiance.

– C'est peut-être en effet une question de confiance, sinon, tu m'aurais cru, répondis-je.

Sophie s'en est allée. J'ai attendu quelques secondes et une petite voix au fond de moi m'a traité d'imbécile. Alors j'ai couru derrière elle pour la rattraper.

– J'ai eu de la chance, voilà tout, je lui ai posé les bonnes questions. Je suis allé puiser dans ma propre enfance, je lui ai demandé s'il avait perdu un ami, je l'ai fait parler de ses parents et de fil en aiguille j'ai soulevé le lièvre, enfin, façon de parler... C'était juste un coup de bol, et je n'en tire aucune gloire. Pourquoi accordes-tu tant d'importance à cela, il est en voie de guérison. C'est ce qui compte, non ?

– J'ai passé des heures au chevet de ce môme sans jamais entendre le son de sa voix, et toi tu veux me faire croire qu'en quelques minutes tu as réussi à lui faire te raconter sa vie ?

Je n'avais encore jamais vu Sophie dans un tel état de colère.

Je la pris dans mes bras et, ce faisant, sans que j'y prête attention, mon ombre chevaucha la sienne.

« Je n'ai aucun talent, je n'excelle dans aucun domaine, mes professeurs ne cessaient de me le répéter. Je n'ai pas été la petite fille dont mon père rêvait ; de toute façon, c'est un fils qu'il voulait. Pas assez jolie, trop maigre ou trop grosse selon les âges, bonne élève mais loin d'être la meilleure... Je n'ai pas le souvenir d'avoir entendu le moindre compliment venant de lui. Rien en moi ne trouvait grâce à ses yeux. »

Dans l'ombre de Sophie, j'ai entendu le murmure de cette confidence et cela m'a rapproché d'elle. Je l'ai prise par la main.

– Suis-moi, j'ai un secret à te confier.

Sophie s'est laissé entraîner vers un peuplier, nous nous sommes allongés sur l'herbe, à l'ombre des branches où il faisait un peu plus frais.

– Mon père est parti un samedi matin où je rentrais d'une colle, héritée la première semaine de la rentrée. Il m'attendait dans la cuisine pour m'annoncer son départ. Toute mon enfance, je me suis reproché de ne pas avoir été quelqu'un d'assez bien pour lui avoir donné envie de rester à la maison. J'ai passé des nuits entières à chercher la faute que j'avais pu commettre, en quoi j'avais pu le décevoir. Je ne cessais de me répéter que si j'avais été un enfant brillant, capable de le rendre fier, il ne m'aurait pas quitté. Je savais qu'il aimait une autre femme que ma mère, mais il fallait que je me rende responsable de son absence. Parce que la douleur était le seul moyen de résister à la peur d'oublier son visage, de me rappeler qu'il existait, que j'étais comme les copains de ma classe, et que moi aussi j'avais un père.

– Pourquoi me dis-tu ça maintenant ?

– Tu voulais que l'on se fasse confiance, non ? Cette façon d'être terrorisée dès qu'une situation te dépasse, de t'isoler dès que tu crois échouer... Je te dis cela maintenant parce qu'il n'y a pas que les mots qui permettent d'entendre ce que l'autre n'arrive pas à formuler. Ton petit patient crevait de solitude, à s'en laisser dépérir, il était devenu l'ombre de lui-même. C'est sa tristesse qui m'a guidé jusqu'à lui.

Sophie baissa les yeux.

– J'ai toujours eu des rapports conflictuels avec mon père, avoua-t-elle.

Je ne répondis pas, Sophie posa sa tête contre moi et nous restâmes silencieux un moment. J'écoutais le chant des fauvettes au-dessus de nos têtes, il résonnait comme un reproche de ne pas être allé au bout de ce que je devais dire, alors je pris mon courage à deux mains.

– J'aurais adoré avoir des rapports avec le mien, même conflictuels. Ce n'est pas parce qu'un père trop exigeant est inapte au bonheur que sa fille doit suivre le même chemin que lui. Le jour où ton père tombera malade, il appréciera à sa juste valeur ce que tu fais dans la vie. Bon, ça tient toujours ta proposition de me faire une omelette chez toi ?

*

Le petit patient de Sophie n'est pas sorti de l'hôpital. Cinq jours après qu'il eut commencé à se réalimenter, des complications se développèrent et il fallut le perfuser à nouveau. Au cours d'une nuit, il eut une hémorragie intestinale, l'équipe de réanimation fit tout son possible, sans succès. C'est Sophie qui annonça son décès aux parents, ce rôle était normalement dévolu à l'interne de service mais elle se trouvait seule, assise au pied d'un lit vide quand les parents entrèrent dans la chambre 302.

J'appris la nouvelle alors que je prenais ma pause dans le jardin. Sophie me rejoignit ; impossible de trouver les mots justes pour la consoler. Je la serrai très fort contre moi. Le conseil que Fernstein m'avait prodigué dans le couloir de l'hôpital me hantait. Impuissant à guérir, impuissant à consoler, j'aurais voulu pouvoir frapper à la porte de son bureau et lui demander de l'aide, mais ces choses-là ne se font pas.

La petite fille à la marelle se présenta devant nous. Elle nous regardait fixement, frappée par notre chagrin. Sa mère entra dans le jardin, s'installa sur un banc et l'appela. La petite fille nous jeta un dernier coup d'œil avant de la rejoindre. La mère posa sur le banc une boîte en carton. La petite fille défit le nœud de la ficelle et sortit de la boîte un pain au chocolat, la maman attrapa un éclair au café.

– Ce week-end, ne prends aucune garde, dis-je à Sophie. Je t'emmène loin d'ici.

Ma mère nous attendait sur le quai de la gare. J'avais fait de mon mieux pour apaiser Sophie, j'avais eu beau lui répéter durant tout le trajet qu'elle n'avait aucun jugement à redouter de sa part, rencontrer ma mère la terrifiait. Elle n'avait cessé de remettre ses cheveux en ordre et quand elle ne tirait pas sur son pull-over, elle ajustait le pli de sa jupe. C'était la première fois que je la voyais vêtue autrement qu'en pantalon. Cette touche de féminité semblait l'incommoder, Sophie avait adopté un style garçon manqué et le cultivait tel un rempart.

Maman eut la délicatesse de lui souhaiter la bienvenue avant de me prendre dans ses bras. Je découvris qu'elle s'était acheté une petite voiture, une occasion qui ne payait pas de mine, mais maman s'y était suffisamment attachée pour l'avoir affublée d'un petit nom. Ma mère donnait facilement des noms aux objets. Je l'ai surprise un jour à souhaiter une bonne journée à la théière qu'elle essuyait méticuleusement, avant de la ranger sur le rebord de la fenêtre, le bec verseur tourné vers l'extérieur pour qu'elle profite de la vue. Et dire qu'elle m'a toujours reproché d'avoir trop d'imagination.

Dès que nous arrivâmes à la maison, la fameuse théière, baptisée Marceline en souvenir d'une vieille tante qui portait ce prénom, reprit du service. Un quatre-quarts aux pommes nappé de sirop d'érable nous attendait sur la table du salon. Maman nous posa mille questions sur nos emplois du temps, nos soucis et nos joies. Parler ainsi de nos vies à l'hôpital ravivait des souvenirs auxquels elle tenait. Elle qui jamais ne me parlait de son métier en rentrant le soir raconta sans se faire prier une foison d'anecdotes sur son passé d'infirmière, mais en s'adressant toujours à Sophie.

Au cours de la conversation, elle nous demanda sans cesse jusqu'à quand nous pensions rester. Sophie, qui avait fini par décroiser les jambes et se tenir moins droite, vint enfin à ma rescousse, répondant à son tour à quelques-unes des mille questions.

Profitant de ce répit, j'attrapai nos bagages pour les monter à l'étage. Alors que je grimpais l'escalier, ma mère me cria qu'elle avait préparé la chambre d'amis pour Sophie et mis une parure de draps neufs sur mon lit. Et puis elle ajouta qu'il était peut-être devenu trop petit pour moi. Je souriais en gravissant les dernières marches.

La journée était belle, maman nous proposa d'aller prendre l'air pendant qu'elle préparerait le dîner. J'emmenai Sophie découvrir la ville de mon enfance. Il n'y avait pas grand-chose à lui montrer.

Nous suivions ce chemin que j'avais parcouru tant

de fois, rien n'avait changé. Je passai devant un platane dont j'avais griffé l'écorce à la pointe d'un canif un jour de mélancolie. La cicatrice s'était refermée, emprisonnant dans la veine du bois une inscription dont j'étais pourtant très fier à l'époque : « Élisabeth est moche. »

Sophie me demanda de lui parler de mon enfance. Elle avait passé la sienne dans une capitale, l'idée de lui avouer que notre activité du samedi consistait à nous rendre au supermarché ne m'enchantait pas. Quand elle voulut savoir comment j'occupais mes journées, je poussai la porte d'une boulangerie et lui répondis.

– Viens, je vais te montrer.

La mère de Luc était assise derrière sa caisse. Lorsqu'elle me vit, elle abandonna son tabouret, fit le tour de son comptoir et se précipita dans mes bras.

Oui, j'avais grandi, c'était inévitable, et puis il était temps. J'avais mauvaise mine, peut-être à cause de mes joues mal rasées. Pour sûr, j'avais perdu du poids. La grande ville, ce n'est pas bon pour la santé. Si les étudiants en médecine tombaient malades, qui allait soigner les gens ?

La mère de Luc était joyeuse en nous offrant toutes les pâtisseries dont nous aurions envie.

Elle s'arrêta de parler pour regarder Sophie et me fit un sourire complice. Comme j'avais de la chance, elle était bien jolie.

Je demandai des nouvelles de Luc. Mon copain dormait juste au-dessus ; les horaires des étudiants en médecine n'ont rien à envier à ceux des apprentis boulangers. Elle nous pria de bien vouloir garder la boulangerie pendant qu'elle allait le chercher.

– Tu sais encore comment accueillir un client ! dit-elle en me lançant un clin d'œil avant de disparaître dans l'arrière-boutique.

– Qu'est-ce que nous faisons ici exactement ? questionna Sophie.

Je m'installai derrière le comptoir.

– Tu veux un éclair au café ?

Luc arriva, les cheveux en bataille. Sa mère n'avait rien dû lui dire, car il écarquilla les yeux en me voyant.

J'aurais juré qu'il avait davantage vieilli que moi. Lui non plus n'avait pas bonne mine, peut-être à cause de la farine sur ses joues.

Nous ne nous étions pas revus depuis mon départ et cette longue absence se ressentait. Chacun cherchait ses mots, la phrase qu'il convenait de dire. Une distance s'était créée, il fallait que l'un de nous fasse un premier pas, même si la pudeur nous retenait tous deux. Je lui ai tendu la main, il m'a ouvert les bras.

– Mon salaud, tu étais où tout ce temps-là ? Tu en as tué combien, des patients, pendant que je faisais des pains au chocolat ?

Luc a défait son tablier. Pour une fois, son père pourrait bien se débrouiller sans lui.

Nous sommes allés nous promener en compagnie de Sophie, et sans que nous nous en rendions compte, nos pas nous ramenèrent sur le chemin où notre amitié était née, là où elle avait connu ses plus belles années.

Devant les grilles de l'école nous regardions, silencieux, la cour de récréation. À l'ombre d'un grand marronnier, je crus voir l'ombre d'un petit garçon malhabile qui ramassait des feuilles. Le vieux banc était inoccupé. J'aurais voulu entrer et pouvoir avancer jusqu'à la remise.

J'avais laissé mon enfance ici. Que les marronniers en témoignent, j'avais tout fait pour la quitter, un vœu, toujours le même, à chaque étoile filante lorsqu'elles sillonnaient le ciel à la mi-août. J'avais tant souhaité sortir de ce corps trop étroit, alors pourquoi Yves me manquait-il autant cet après-midi-là ?

– On a fait les quatre cents coups ici, dit Luc en se forçant à rigoler. Tu te souviens ce qu'on a pu se marrer !

– Pas tous les jours non plus, lui répondis-je.

– Non, pas tous les jours, mais quand même...

Sophie toussota, non qu'elle s'ennuyât en notre compagnie, mais l'idée d'aller profiter des derniers rayons du soleil dans le jardin la tentait. Elle était certaine de retrouver le chemin ; après tout, il suffisait d'aller tout droit. Et puis, elle tiendrait un peu compagnie à ma mère, dit-elle en s'en allant.

Luc attendit qu'elle s'éloigne et siffla entre ses dents.

– Tu ne t'ennuies pas, mon salaud. J'aurais aimé, comme toi, poursuivre des études, faire un tour de manège supplémentaire, dit-il en soupirant.

– Tu sais, la fac de médecine, ce n'est pas vraiment Luna Park.

– La vie active non plus, tu sais. Enfin, on porte

tous les deux une blouse blanche au travail, ça nous fait encore un point commun.

– Tu es heureux ? lui demandai-je.

– Je travaille avec mon père, ce n'est pas facile tous les jours, j'apprends un métier. Je commence à gagner un peu ma vie, et puis je m'occupe de ma petite sœur, elle a bien grandi. Les horaires sont durs à la boulangerie, mais je ne peux pas me plaindre. Oui, je crois que je suis heureux.

Pourtant, la lumière qui brillait jadis dans tes yeux me semblait éteinte, j'avais l'impression que tu m'en voulais d'être parti, de t'avoir laissé.

– Et si on passait la soirée ensemble ? proposai-je.

– Ta mère ne t'a pas vu depuis des mois, et puis ta copine, tu en ferais quoi ? Ça fait longtemps, vous deux ?

– Je ne sais pas, répondis-je à Luc.

– Tu ne sais pas depuis combien de temps tu sors avec elle ?

– Sophie et moi c'est une amitié amoureuse, marmonnai-je.

En réalité, j'étais bien incapable de me souvenir à quand remontait notre tout premier baiser. Nos lèvres avaient glissé un soir où j'étais venu lui dire au revoir en finissant ma garde, mais il faudrait que je pense à lui demander si elle considérait cela comme une première fois. Un autre jour, alors que nous nous promenions au parc, je lui avais offert une glace et, tandis que j'ôtais du doigt un éclat de chocolat sur ses lèvres, elle m'avait embrassé. Peut-être était-ce ce jour-là que notre amitié avait dérapé.

Était-il si important de se souvenir du premier instant ?

– Tu comptes construire quelque chose avec elle ? questionna Luc. Je veux dire quelque chose de sérieux ? Pardon, c'est peut-être indiscret, s'excusa-t-il aussitôt.

– Avec nos horaires de dingues, lui dis-je, si nous arrivons à passer deux soirées ensemble dans la semaine, c'est déjà une prouesse.

– Possible, mais avec ses horaires de dingue, elle a quand même trouvé le temps de te consacrer tout un week-end et de venir le passer dans ce trou perdu, ça veut bien dire quelque chose. Ça mérite mieux que de rester seule avec ta mère pendant que tu papotes avec un vieux copain. Moi aussi j'aimerais bien avoir quelqu'un dans ma vie, mais les jolies filles de l'école ont déserté ce patelin. Et puis, qui voudrait faire sa vie avec quelqu'un qui se couche à 8 heures et se lève au milieu de la nuit pour aller pétrir le levain ?

– Ta mère a bien épousé un boulanger.

– Ma mère ne cesse de me dire que les temps ont changé, même si les gens ont toujours besoin de manger du pain.

– Viens ce soir à la maison, Luc, nous repartons demain et je voudrais...

– Je ne peux pas, je commence à 3 heures du matin, il faut que je dorme, sinon je ne fais pas du bon boulot.

Luc, où es-tu passé mon vieux, où as-tu caché nos fous rires d'antan ?

– Tu as renoncé à la mairie ?

– Il faut un minimum d'études pour faire de la politique, répondit Luc en ricanant.

Nos ombres s'étiraient sur le trottoir. Au cours de ma scolarité j'avais toujours veillé à ne jamais dérober la sienne, et si involontairement cela m'était arrivé en de rares occasions, je la lui avais rendue aussitôt. Un ami d'enfance, c'est sacré. C'est peut-être en pensant à cela que j'ai fait un pas en avant, parce que je l'aimais trop pour faire semblant de ne pas avoir entendu ce qu'il s'interdisait de me dire.

Luc n'y a vu que du feu. L'ombre qui me précédait n'était plus la mienne, mais comment aurait-il pu s'en rendre compte ? Nos ombres étaient maintenant de tailles identiques.

J'ai laissé mon copain devant la porte de sa boulangerie. Il m'a pris à nouveau dans ses bras et m'a dit combien cela lui avait fait plaisir de m'avoir revu. Nous devrions nous téléphoner de temps à autre.

Je suis rentré à la maison avec une boîte de pâtisseries que Luc avait tenu à m'offrir. En souvenir du bon vieux temps, avait-il dit en me tapant sur l'épaule.

*

Au cours du dîner, maman engagea la conversation avec Sophie. À travers les questions qu'elle lui posait, c'était ma vie qu'elle interrogeait, Maman est si pudique. Sophie lui demanda quel genre d'enfant j'avais été. C'est toujours étrange lorsque l'on parle de vous en votre présence, plus encore quand les protagonistes feignent d'ignorer que vous êtes à côté d'eux. Maman assura que j'étais un garçon tranquille, mais elle ignorait tant de choses de l'enfance que j'avais vraiment vécue. Elle marqua une courte pause et déclara que je ne l'avais jamais déçue.

J'aime les rides qui se sont formées autour de sa bouche et de ses yeux. Je sais qu'elle les déteste ; moi, elles me rassurent. C'est notre vie à tous les deux que je lis sur son visage. Ce n'était peut-être pas mon enfance qui me manquait depuis mon retour ici, mais ma mère, nos moments complices, nos samedis après-midi au supermarché, les repas que nous partagions le soir, parfois dans le plus grand silence mais si proches l'un de l'autre, les nuits où elle venait me rejoindre dans ma chambre, s'allongeant à côté de moi, glissant la main dans mes cheveux. Les années ne passent qu'en apparence. Les moments les plus simples sont ancrés en nous à jamais.

Sophie lui parla de la disparition d'un petit garçon qu'elle n'avait pu sauver, de la difficulté à donner le meilleur de soi en se préservant du chagrin qu'engendre l'échec. Maman lui répondit qu'avec les enfants, le renoncement était une souffrance encore plus terrible. Certains médecins réussissaient à s'endurcir plus que d'autres mais elle jura que, pour chacun d'eux, la difficulté de perdre un patient était la même. Il m'est arrivé de me demander si je n'avais pas fait médecine dans l'espoir de guérir un jour ma mère des blessures de son existence.

Le dîner passé, maman se retira discrètement. J'entraînai Sophie vers le jardin, à l'arrière de la maison. La nuit était douce, Sophie posa sa tête sur mon épaule et me remercia de l'avoir éloignée quelques heures de l'hôpital. Je m'excusai des bavardages de ma mère, de n'avoir su trouver une idée de week-end plus intime.

– Que voulais-tu trouver de plus intime qu'ici ? Je t'ai parlé cent fois de moi, cent fois tu m'as écoutée mais toi tu ne dis jamais rien. Ce soir, j'ai l'impression d'avoir rattrapé un peu de mon retard.

La lune se levait, Sophie me fit remarquer qu'elle était pleine. Je redressai la tête et regardai la toiture de la maison. L'ardoise luisait.

– Viens, lui dis-je en l'entraînant par la main, ne fais pas de bruit et suis-moi.

Lorsque nous arrivâmes au grenier, j'invitai Sophie à se mettre à genoux pour se faufiler sous les combles. Assis devant la lucarne, je l'ai embrassée. Nous sommes restés un long moment à écouter le silence qui nous enveloppait.

Le sommeil eut raison de Sophie. Elle me laissa et, avant de refermer la trappe, me dit que si mon lit était trop petit, je pouvais venir la rejoindre dans le sien.

*

Plus aucun bruit dans la maison. J'ai ouvert une boîte en carton et, fouillant parmi ces trésors d'enfance, j'ai eu soudain une étrange impression. Comme si mes mains redevenaient plus petites, comme si un monde que j'avais délaissé se reformait autour de moi. Les premiers rayons de lune vinrent effleurer le plancher du grenier. Je me redressai et me cognai la tête à une poutre, retour à la réalité, mais devant moi, je vis apparaître une ombre, elle s'allongeait, aussi fine qu'un trait de crayon. Elle se hissa sur une malle, j'aurais juré qu'elle s'y était assise. Elle me regardait, attendant par défi que je parle le premier. Je tins bon.

– Ainsi tu as fini par revenir, me dit-elle. Je suis heureuse que tu sois là, nous t'attendions.

– Vous m'attendiez ?

– C'était inévitable, nous savions que tôt ou tard tu reviendrais.

– J'ignorais hier encore que je serais là ce soir.

– Tu crois que ta présence ici est un hasard ? La petite fille qui jouait à la marelle était notre émissaire. Nous avions besoin de toi.

– Qui es-tu ?

– Je suis la déléguée. Même si la classe s'est dispersée, nous continuons à veiller sur vous, les ombres ne vieillissent pas de la même façon.

– Qu'attendez-vous de moi ?

– Combien de fois t'a-t-il tiré des griffes de Marquès ? Te rappelles-tu tes moments de solitude qu'il comblait à grand renfort de blagues, à grand renfort de rires ? Te souviens-tu des après-midi où il se joignait à toi sur le chemin de l'école, de ces heures que vous passiez ensemble ? Il était ton meilleur ami, n'est-ce pas ?

– Pourquoi me dis-tu cela ?

– Un soir, dans ce grenier, tu regardais une photo que je t'avais offerte et je t'ai entendu demander : « Où est passé tout cet amour ? » Alors à mon tour de te poser une question. Cette amitié, qu'en as-tu fait ?

– Tu es l'ombre de Luc ?

– Si tu me tutoies, c'est que tu sais à qui j'appartiens.

La lune déclinait vers la droite de la lucarne. Je vis l'ombre glisser subrepticement de la malle vers le plancher, ses traits s'affinaient.

– Attends, ne pars pas, qu'est-ce que je dois faire ?

– Aide-le à changer de vie, emmène-le avec toi. Souviens-toi, celui de vous deux qui devait faire médecine, c'était lui. Il n'est pas trop tard, il n'est jamais trop tard quand on aime, aide-le à devenir ce qu'il voulait être. Tu le sais depuis toujours. Désolée de devoir te fausser compagnie mais l'heure tourne, je n'ai pas le choix. Au revoir.

La lune avait quitté la lucarne et l'ombre s'estompa entre deux boîtes en carton.

Je refermai la trappe du grenier et allai rejoindre Sophie. Je me glissai dans son lit, elle se blottit contre moi et se rendormit aussitôt. Je restai de longues minutes les yeux ouverts dans le noir. La pluie s'était mise à tomber, j'écoutai le clapotis de l'eau sur l'ardoise, le bruissement des feuilles dans les haies d'églantiers. Chaque bruit de la nuit dans cette maison m'était familier.

*

Il devait être 9 heures quand Sophie s'étira. Ni elle ni moi n'avions autant dormi depuis des mois.

Nous descendîmes à la cuisine où une surprise nous attendait. À la table, Luc discutait avec ma mère.

– Normalement à cette heure-là je vais me coucher, mais je n'allais pas vous laisser repartir sans venir vous dire au revoir. Tiens, me dit-il, je vous ai apporté un petit quelque chose. Je les ai faits tôt ce matin en pensant à vous, c'est une fournée spéciale.

Luc nous tendit un panier en osier rempli de croissants et de pains au lait encore tièdes.

– Alors ? interrogea-t-il, attendri, en regardant Sophie se régaler.

– Alors, c'est le meilleur pain au lait que j'aie jamais mangé, répondit-elle.

Maman s'excusa de devoir nous laisser, elle avait à faire au jardin.

Sophie s'empara d'un croissant et je vis dans les yeux de Luc que l'appétit de mon amie lui procurait un immense plaisir.

– C'est un bon toubib, mon copain ? demanda-t-il à Sophie.

– Pas forcément celui doté du meilleur caractère mais oui, il sera un très bon médecin, dit-elle, la bouche pleine.

Luc voulait tout savoir de notre quotidien à l'hôpital, tout apprendre. Et, tandis que Sophie lui racontait nos journées, je voyais combien nos vies le faisaient rêver.

À son tour Sophie l'interrogea sur les quatre cents coups évoqués la veille, devant la grille de l'école. Malgré les regards que je lui lançais, Luc lui raconta mes mésaventures avec Marquès, l'épisode du casier, la façon dont il m'aidait chaque année à remporter l'élection du délégué, même l'épisode de l'incendie de la remise y passa. Au fil de la conversation le rire de Luc redevint tel qu'il était jadis, si franc, si communicatif.

– À quelle heure repartez-vous ? s'enquit-il.

Sophie reprenait son service à minuit et moi le lendemain matin. Nous prendrions un train en début d'après-midi. Luc bâilla, il luttait contre la fatigue. Sophie monta préparer son sac, nous laissant seuls tous les deux.

– Tu reviendras ? me demanda Luc.

– Bien sûr, lui répondis-je.

– Essaie que ce soit un lundi, enfin si tu peux, la boulangerie est fermée le mardi, tu t'en souviens ? Nous pourrons passer une vraie soirée ensemble, ça me ferait plaisir. On n'a pas eu beaucoup de temps, j'aimerais que tu continues de me raconter ce que tu fais là-bas.

– Luc, pourquoi tu ne viens pas avec moi ? Pourquoi ne pas tenter ta chance ? Tu rêvais de faire des études de médecine. En attendant que tu obtiennes une bourse, je pourrais te trouver un emploi de brancardier pour arrondir les fins de mois, et puis tu n'aurais pas à t'inquiéter de payer un loyer, mon studio n'est pas bien grand mais nous pourrions le partager.

– Tu veux que je reprenne des études maintenant ? C'était il y a cinq ans qu'il fallait me proposer ça, mon vieux !

– Qu'est-ce que ça peut bien faire si tu t'y mets un peu plus tard que les autres ? Tu as déjà vu quelqu'un demander l'âge d'un médecin en entrant dans son cabinet ?

– Je me retrouverais en cours avec des gens bien plus jeunes que moi et je n'ai pas envie d'être le Marquès de la classe.

– Pense à toutes les Élisabeth qui succomberont au charme de ta maturité.

– Évidemment, répliqua Luc songeur, vu sous cet angle... Et puis arrête de me faire rêver. Quelques secondes comme ça, ça me fait du bien, mais quand tu auras repris ton train, ça me fera encore plus mal.

– Qu'est-ce qui t'en empêche ? Réfléchis, c'est de ta vie qu'il s'agit.

– Et de celles de mon père, de ma mère, de ma petite sœur, ils ont tous besoin de moi. Une bagnole à trois roues, c'est une bagnole qui part dans le fossé. Tu ne peux pas comprendre ce que c'est qu'une famille.

Luc baissa la tête et plongea le nez dans sa tasse de café.

– Pardon, me dit-il, ce n'est pas ce que je voulais dire. La vérité, mon vieux, c'est que mon paternel ne me laisserait jamais partir. Il a besoin de moi, je suis son bâton de vieillesse, il compte sur moi pour reprendre la boulangerie quand il sera trop vieux pour se lever la nuit.

– Dans vingt ans, Luc ! Ton père sera trop vieux dans vingt ans, et puis tu as une petite sœur, non ?

Luc éclata de rire.

– Tiens, j'aimerais bien voir mon père lui apprendre le métier, c'est elle qui le mènerait à la baguette. Avec moi il est intraitable mais elle, elle réussit à en faire ce qu'elle veut.

Luc se leva et se dirigea vers la porte.

– Ça m'a fait plaisir de te revoir, tu sais. N'attends pas aussi longtemps avant de repasser. Après tout, même si un jour tu deviens un grand professeur, même si tu habites un bel appartement dans les beaux quartiers d'une grande ville, chez toi, ce sera toujours ici.

Luc me donna l'accolade et s'apprêta à partir. Alors qu'il se tenait sur le pas de la porte, je le retins un court instant.

– À quelle heure tu commences ton boulot ?

– Qu'est-ce que ça peut bien faire ?

– Moi aussi je travaille de nuit, alors si je connais tes horaires, lorsque je serai aux Urgences, je me sentirai moins seul. Il me suffira de regarder la pendule et je pourrai imaginer ce que tu es en train de faire.

Luc me regarda avec un drôle d'air.

– Tu m'as posé des questions sur ce que nous faisions à l'hôpital, tu peux bien me raconter comment se passe ta vie dans ton fournil.

– Dès 3 heures du matin on nourrit le levain maître, il faut le mélanger à la farine, à l'eau, au sel et à la levure pour démarrer la pâte. Après un premier pétrissage, on la pousse dans une fermentation qui permet au levain d'entrer en action. Vers 4 heures du matin, on fait une pause pendant le pointage. Quand il fait doux, j'ouvre la porte qui donne sur la ruelle derrière la boulangerie et j'installe deux tabourets. Papa et moi y prenons un café. On ne se dit pas grand-chose pendant ces moments-là, mon père prétend qu'il ne faut pas faire de bruit pour laisser la pâte reposer, c'est surtout lui qui se repose, il en a besoin maintenant. Aussitôt mon café avalé, je le laisse sommeiller une petite heure sur sa chaise, adossé au mur de pierre. Je rentre nettoyer les plaques et j'étends les feuilles de lin sur lesquelles on couchera le pain.

« Lorsque mon père me rejoint, on fait l'apprêt pour la deuxième fermentation. On divise la pâte, on la façonne, on lame chaque miche pour avoir une belle grigne, et puis enfin, on enfourne.

« Chaque nuit, nous reprenons les mêmes gestes, chaque fois, le défi est différent, le résultat jamais acquis. S'il fait froid, la pâte prend plus de temps à fermenter, il faut rajouter de l'eau chaude et de la levure ; s'il fait chaud, elle réclame de l'eau glacée sinon elle sèche trop vite. On ne peut pas faire du bon pain sans prêter attention à chaque détail, même au temps qu'il fait dehors ; les boulangers n'aiment pas la pluie, ça rend le travail plus long.

« À 6 heures, nous sortons la première fournée du matin. Le temps de laisser refroidir les pains et on les monte à la boulangerie. Voilà, mon vieux, mais si tu crois que ce que je viens de te dire fera de toi un boulanger, eh bien tu te trompes. Remarque, tes récits d'hôpital ne feront pas de moi un médecin. Allez, il faut vraiment que j'aille dormir, embrasse ta mère pour moi et surtout ta copine. C'est drôlement joli la façon dont elle te regarde, tu as de la chance, et je suis sincèrement heureux pour toi.

Après le départ de Luc, je rejoignis ma mère dans son jardin. Je la trouvai accroupie devant une rangée de rosiers. La pluie avait couché ses fleurs et elle les redressait méticuleusement.

– Mes genoux me font mal, gémit-elle en se relevant. Toi, tu as meilleure mine qu'hier. Tu devrais rester quelques jours pour reprendre des forces.

Je n'ai pas répondu, je regardais tes yeux qui me souriaient. Si tu savais combien j'aurais voulu que tu me fasses un mot d'excuse comme lorsque tu avais le pouvoir de tout pardonner, même l'absence.

– Vous allez bien ensemble, me dit ma mère en me prenant par le bras.

Comme je ne répondais toujours pas, elle poursuivit son monologue.

– Sinon tu ne l'aurais pas emmenée visiter ton grenier hier soir. Tu sais, j'entends tout dans cette maison, j'ai toujours tout entendu. Après ton départ, il m'est arrivé d'y monter. Quand tu me manquais trop, je soulevais la trappe et j'allais m'asseoir devant la lucarne. Je ne sais pas pourquoi, mais là-haut j'avais l'impression de me rapprocher de toi, comme si en regardant à travers la vitre je te devinais dans le lointain. Cela fait longtemps que je n'y suis plus retournée ; je te l'ai dit, mes genoux me font mal et il faut avancer à quatre pattes au milieu de tout ce bric-à-brac. Oh, ne fais pas cette tête-là, je te promets que je n'ai jamais ouvert une de tes boîtes. Ta mère a ses défauts, mais je ne suis pas indiscrète.

– Je ne te reproche rien, lui dis-je.

Maman posa sa main sur ma joue.

– Sois honnête avec toi et surtout avec elle ; si ce n'est pas de l'amour que tu ressens, ne la laisse pas espérer, c'est une fille bien.

– Pourquoi me dis-tu ça ?

– Parce que tu es mon fils et que je te connais comme si je t'avais fait.

Maman m'a prié d'aller rejoindre Sophie et de la laisser à la taille de ses rosiers. Je suis remonté dans la chambre. Sophie était accoudée à la fenêtre, le regard dans le vide.

– Tu m'en voudrais de te laisser rentrer seule ?

Sophie se retourna.

– Pour les cours, je pourrai prendre des notes pour deux, mais tu es de garde lundi soir si je ne me trompe pas ?

– Justement, c'est le deuxième service que je voulais te demander. Si tu pouvais aller dire au responsable du service que je suis malade, rien de grave, une angine que j'ai préféré soigner pour ne pas contaminer les patients. J'ai juste besoin de vingt-quatre heures.

– Non je ne t'en voudrais pas, tu n'as presque pas vu ta mère et une soirée en ta compagnie lui ferait sûrement plaisir. Puisque je voyagerai seule, je trouverai bien le temps de réfléchir à une excuse plus valable.

Maman se réjouit que je reste un peu plus que

prévu. J'empruntai sa voiture et raccompagnai Sophie à la gare.

Elle m'embrassa sur la joue et sourit malicieusement avant de grimper dans son compartiment. Les fenêtres des trains ne s'ouvrent plus, on ne peut pas se dire au revoir comme avant. Le convoi s'ébranla, Sophie m'adressa un petit signe de la main et j'attendis sur le quai que les feux du dernier wagon disparaissent.

– Qu'est-ce qui ne va pas ? s'enquit ma mère alors que je rentrais dans la maison.

– Tout va bien, de quoi t'inquiètes-tu ?

– Tu as retardé ton retour et laissé ton amie, juste pour passer une soirée avec ta mère ?

Je m'assis à côté d'elle à la table de la cuisine et pris ses mains dans les miennes.

– Tu me manques, lui dis-je en l'embrassant sur le front.

– Bon, j'espère que tu me diras plus tard ce qui te préoccupe.

Nous avons dîné au salon, maman nous avait préparé mon plateau-repas préféré, jambon et coquillettes, comme autrefois. Elle s'est assise sur le canapé à côté de moi et m'a regardé me régaler, sans toucher à son assiette.

Je m'apprêtais à débarrasser quand elle m'a pris la main et m'a dit que la vaisselle pouvait attendre. Elle m'a demandé si je voulais bien l'inviter dans mon grenier. Je l'ai accompagnée jusqu'aux combles, j'ai tiré l'échelle, repoussé la trappe, et nous sommes allés nous installer face à la lucarne.

J'ai hésité un moment avant de lui poser une question qui me brûlait les lèvres depuis si longtemps.

– Tu n'as jamais eu de nouvelles de papa ?

Maman plissa les paupières. J'ai retrouvé dans ses yeux ce regard d'infirmière qu'elle prenait lorsqu'elle cherchait à savoir si je couvais quelque chose ou si je feignais d'être malade pour échapper à un contrôle d'histoire ou de mathématiques.

– Tu penses encore souvent à lui ? me questionna-t-elle.

– Lorsqu'un homme de son âge se présente aux Urgences, je ressens toujours une appréhension, j'ai peur que ce soit lui, et je me demande chaque fois ce que je ferais s'il ne me reconnaissait pas.

– Il te reconnaîtrait tout de suite.

– Pourquoi n'est-il jamais revenu me voir ?

– J'ai mis longtemps à lui pardonner. Probablement trop longtemps. Cela m'a fait dire des choses que je regrette, mais c'est parce que je l'aimais encore. Je n'ai jamais cessé d'aimer ton père. On fait des choses terribles quand l'amour et la haine se confondent, des choses que l'on se reproche plus tard. Ce dont je l'accablais le plus n'était pas de m'avoir quittée, j'avais fini par en accepter ma part de responsabilité. Mon désespoir était de l'imaginer heureux auprès d'une autre femme. J'en ai tant voulu à ton père de l'avoir aimée à ce point. Il faut que je te fasse une confidence, et je sais que ta mère te paraîtra démodée en te disant cela, mais il est le seul homme que j'ai connu. Si je le revoyais aujourd'hui, je le remercierais de m'avoir fait le plus cadeau qui soit : toi.

Ce n'est pas l'ombre de ma mère qui me fit cette confidence, mais bien elle.

Je l'ai prise contre moi et je lui ai dit que je l'aimais.

Certains instants précieux de la vie tiennent finalement à peu de chose. Si je n'étais pas resté ce soir-là, je crois que jamais je n'aurais eu cette conversation avec ma mère. Lorsque nous avons quitté le grenier, je me suis retourné une dernière fois vers la lucarne et, silencieusement, j'ai remercié mon ombre.

*

J'avais réglé mon réveil pour qu'il sonne à 3 heures du matin. Je m'habillai et quittai la maison sur la pointe des pieds pour emprunter le chemin de l'école. À cette heure-là, la ville était déserte. Le rideau de fer occultait la vitrine de la boulangerie, je la dépassai et tournai discrètement dans la ruelle adjacente. Debout, dans la pénombre, à cinquante mètres d'une petite porte en bois, je guettai le bon moment.

À 4 heures, Luc et son père sont sortis du fournil. Comme il me l'avait raconté, je l'ai vu installer deux chaises contre le mur, son père s'est assis en premier. Luc lui a servi du café et ils sont restés là tous les deux, sans rien dire. Le père de Luc a vidé sa tasse, l'a posée par terre et a fermé les yeux. Luc le regardait, il a soupiré, ramassé la tasse de son père et est rentré dans le fournil. C'était le moment que je guettais, j'ai pris mon courage à deux mains et je me suis avancé.

Luc est mon ami d'enfance, mon meilleur ami ; pourtant, aussi étrange que cela puisse paraître, je n'ai jamais connu son père. Lorsque je me rendais chez lui, nous devions veiller à ne pas faire de bruit. Cet homme qui vivait la nuit et dormait l'après-midi me terrorisait. Je l'imaginais tel un fantôme rôdant au-dessus de nous dès qu'on levait la tête de nos devoirs. Ce boulanger que je n'ai jamais vraiment rencontré, je lui dois certainement une part de mon assiduité scolaire et d'avoir échappé à quelques-unes de ces colles que Mme Schaeffer prenait tant de plaisir à distribuer. Sans la crainte qu'il m'inspirait, un bon nombre de mes devoirs n'auraient pas été rendus à temps. Ce soir, je m'adresserais enfin à lui, la première chose à faire était de le réveiller et de me présenter.

J'avais peur qu'il sursaute et attire l'attention de Luc. J'ai tapoté sur son épaule.

Il a cligné des yeux sans avoir l'air plus étonné que cela, et, à ma grande surprise, m'a dit :

– C'est toi le copain de Luc, non ? Je te reconnais, tu as un peu vieilli mais pas tant que ça. Ton ami est à l'intérieur. Je veux bien que tu ailles le saluer mais pas trop longtemps, ce n'est pas le travail qui manque.

Je lui ai confié que ce n'était pas Luc que je venais voir. Le boulanger m'a regardé longuement, il s'est levé et m'a fait signe de l'attendre plus loin dans la ruelle. Entrebâillant la porte du fournil, il a crié à son fils qu'il allait se dégourdir un peu les jambes. Puis il m'a rejoint.

Le père de Luc m'a écouté sans m'interrompre. Lorsque nous sommes arrivés au bout de la ruelle, il m'a serré la main avec force et m'a dit :

– Maintenant fous-moi le camp !

Et il est reparti sans se retourner.

Je suis rentré tête basse, furieux d'avoir échoué dans la mission qui m'était confiée. C'était la première fois.

*

De retour à la maison j'ai pris mille précautions pour faire tourner le loquet de la porte sans faire de bruit. Peine perdue, la lumière s'alluma et je vis ma mère, debout en robe de chambre, devant la porte de la cuisine.

– Tu sais, me dit-elle, à ton âge, tu n'as plus besoin de faire le mur.

– Je suis juste allé marcher, je n'arrivais pas à dormir.

– Parce que tu crois que je n'ai pas entendu sonner ton réveil tout à l'heure ?

Ma mère alluma un feu à la gazinière et mit la bouilloire à chauffer.

– Il est trop tard pour retourner se coucher, me dit-elle, assieds-toi, je vais te faire du café, et toi, tu vas me dire pourquoi tu es resté une nuit de plus et surtout ce que tu faisais dehors à cette heure-là.

Je me suis installé à la table et lui ai raconté ma visite au père de Luc.

Quand j'eus fini le récit de ma lamentable expédition, maman posa ses deux mains sur mes épaules et me regarda droit dans les yeux.

– Tu ne peux pas te mêler ainsi de la vie des autres, même pour leur bien. Si Luc apprenait que tu es allé voir son père, il pourrait t'en vouloir. C'est à lui et à lui seul de décider de sa vie. Il faut que tu te fasses une raison et que tu te résignes à grandir. Tu n'es pas obligé de soigner les maux de tous ceux qui croisent ton chemin. Même en devenant le meilleur des médecins, tu n'y arriverais pas.

– Mais toi, ce n'est pas ce que tu as essayé de faire toute ta vie ? Ce n'était pas pour ça que tu rentrais si fatiguée le soir ?

– Je crois, mon chéri, me dit-elle en se levant, que tu as hélas hérité de la naïveté de ta mère et du caractère têtu de ton père.

*

J'ai pris le premier train du matin. Ma mère m'a raccompagné à la gare. Sur le quai, je lui ai promis de revenir la voir bientôt. Elle a souri.

– Quand tu étais gosse et que je venais éteindre ta lumière, tu me demandais chaque soir : « Maman, c'est quand le prochain jour ? » Je te répondais « Bientôt » et chaque fois, en refermant la porte de ta chambre, j'avais la conviction que ma réponse ne t'avait pas convaincu. Je crois qu'à nos âges, les rôles se sont inversés. Alors « à bientôt » mon cœur, prends soin de toi.

Je suis monté dans mon wagon et j'ai regardé par la vitre la silhouette de maman, emportée par la distance alors que le train s'éloignait.

Je reçus la première lettre de ma mère dix jours après mon retour. Comme dans chacune de ses correspondances, elle me demandait de mes nouvelles, espérant une réponse rapide. Il s'écoulait souvent plusieurs semaines avant que je trouve la force, en rentrant chez moi, de lui faire ce plaisir. Le peu d'empressement que montrent les enfants envers leurs parents en grandissant confine à l'égoïsme pur. Je m'en sentais d'autant plus coupable que je gardais tous ses messages dans une boîte posée sur une étagère de ma bibliothèque, telle une présence bienveillante.

Sophie et moi ne nous étions presque pas revus depuis notre escapade, nous n'avions pas même passé une nuit ensemble. Durant ce court séjour dans la maison de mon enfance, une ligne s'était tracée entre nous, que ni elle ni moi ne réussissions à franchir. Lorsque je pris le stylo pour écrire à ma mère, mes derniers mots étaient pour lui dire que Sophie l'embrassait. Le jour suivant ce mensonge, j'allai la chercher dans son service et lui avouai qu'elle me manquait. Le lendemain, elle accepta que je l'emmène au cinéma, mais à la fin de la séance, elle préféra rentrer chez elle.

Depuis un mois, Sophie se laissait séduire par un interne en pédiatrie, décidant pour nous deux de mettre fin au règne de nos incertitudes. Peut-être plus encore des miennes. Savoir qu'un autre homme risquait de s'emparer de ce que je ne me décidais pas à posséder me rendit furieux. Je fis tout pour la reconquérir et, deux semaines plus tard, nos corps se retrouvaient dans mes draps. J'avais chassé l'intrus, la vie reprenait son cours, et le sourire me revint.

Au début du mois de septembre, en rentrant d'une longue garde, je découvris une drôle de surprise sur mon palier.

Luc était assis sur une petite valise, l'air hagard et la mine réjouie.

– Tu m'as fait attendre, mon salaud ! dit-il en se levant. J'espère que tu as quelque chose à manger, parce que je crève de faim.

– Qu'est-ce que tu fais là ? lui demandai-je en lui ouvrant la porte de mon studio.

– Mon père m'a viré !

Luc a ôté son veston et s'est laissé tomber dans l'unique fauteuil de la pièce. Pendant que je lui ouvrais une boîte de thon et dressais un couvert sur la malle qui faisait office de table basse, Luc se raconta avec frénésie.

– Je ne sais pas ce qui lui est arrivé, à mon vieux. Tu sais, la nuit qui a suivi ton départ, après le pointage, je me suis étonné de ne pas le voir revenir au fournil. J'ai pensé qu'il ne s'était pas réveillé, j'étais même un peu inquiet pour tout te dire. J'ai ouvert la porte qui donne sur la ruelle et je l'ai trouvé assis sur sa chaise, il pleurait. Je lui ai demandé ce qui n'allait pas, il n'a pas voulu me répondre. Il a juste murmuré que c'était un coup de fatigue et m'a fait promettre d'oublier que je l'avais vu comme ça et de ne rien dire à ma mère. J'ai promis. Mais depuis ce soir-là, il n'était plus le même. D'habitude, il est plutôt dur avec moi au travail, je sais que c'est sa façon à lui de m'apprendre le métier, je ne peux pas lui en vouloir. Je crois que mon grand-père n'était pas bien facile avec lui. Mais là, chaque jour je le voyais de plus en plus gentil, presque aimable. Lorsque je ratais la mise en forme des pains, au lieu de me houspiller, il venait près de moi et me montrait à nouveau comment faire, me disant chaque fois que ce n'était pas grave, que lui aussi commettait des erreurs. Je te jure que je n'en revenais pas. Un soir, il m'a même pris dans ses bras. J'ai cru qu'il perdait la tête. Je ne devais pas être loin du compte parce que avant-hier il m'a licencié comme un simple apprenti. À 6 heures du matin, il m'a regardé droit dans les yeux et il m'a dit que si j'étais aussi malhabile, c'est que la boulangerie ne devait pas être faite pour moi, qu'au lieu de perdre mon temps et de lui faire perdre le sien, je ferais mieux d'aller tenter ma chance en ville. Je n'avais qu'à choisir ma voie puisque c'était comme ça de nos jours qu'on devenait heureux. Il était en colère en me disant ça. À l'heure du déjeuner, il a annoncé à ma mère que je partais et il a fermé la boulangerie pour le reste de la journée. Le soir, à table, personne n'a rien dit, maman pleurait. Enfin, côté salle à manger elle était en larmes, mais chaque fois que j'allais dans la cuisine, elle me rejoignait pour me prendre dans ses bras en me chuchotant qu'elle n'avait pas été aussi heureuse depuis longtemps. Ma mère se réjouissant que mon père me foute à la porte... Je te jure, mes parents ont perdu la boule ! J'ai regardé trois fois le calendrier pour vérifier que nous n'étions pas le 1er avril.

« Au matin, mon père est venu me chercher dans ma chambre, il m'a dit de m'habiller. On a pris sa voiture et on a roulé huit heures, huit heures sans échanger le moindre mot. Sauf à midi quand il m'a demandé si j'avais faim. Nous sommes arrivés en début de soirée, il m'a déposé devant cet immeuble et m'a dit que tu habitais là. Comment il l'a su ? Même moi je l'ignorais ! Il est descendu de la voiture, a sorti mon sac du coffre et l'a posé à mes pieds. Puis il m'a tendu une enveloppe en me disant que ce n'était pas grand-chose mais que c'était le mieux qu'il pouvait faire et qu'avec ça je pourrais tenir quelque temps. Et puis il est remonté derrière son volant et il est parti.

– Sans rien te dire d'autre ? demandai-je.

– Si. Juste avant de démarrer, il m'a annoncé : « Si tu devais t'apercevoir que tu es aussi piètre médecin que boulanger, alors reviens et cette fois je t'apprendrai le métier pour de bon. » Tu y comprends quelque chose ?

J'ai débouché mon unique bouteille de vin, un cadeau de Sophie que nous n'avions pas bu le soir où elle me l'avait offert. Je nous ai servi deux grands verres et, en trinquant, j'ai déclaré à Luc que non, je n'y comprenais rien.

*

J'ai aidé mon ami à remplir tous les formulaires nécessaires à son inscription en première année de médecine, je l'ai accompagné au bureau des admissions où il a sacrifié une grande partie du pécule que lui avait remis son père.

La reprise des cours aurait lieu en octobre. Nous allions refaire des études ensemble. Nous ne serions plus assis côte à côte dans la même classe, mais nous pourrions nous voir de temps à autre dans le petit jardin de l'hôpital. Même sans marronnier ni panier de basket, nous en referions vite notre nouvelle cour de récréation.

La première fois que nous nous y sommes retrouvés, c'est moi qui ai remercié son ombre.

*

Luc s'installa chez moi. Notre cohabitation était des plus faciles, nous vivions en horaires décalés. Il profitait de mon lit pendant que je faisais mes gardes de nuit et partait en cours lorsque je rentrais. Les rares fois où nous devions partager le studio, il étendait une couette sous la fenêtre, roulait une couverture en boule en guise d'oreiller et dormait comme un loir.

En novembre, il me confia qu'il s'était entiché d'une étudiante avec laquelle il révisait souvent. Annabelle avait cinq ans de moins que lui, mais il jurait qu'elle faisait plus femme que son âge.

Début décembre, Luc me demanda de lui rendre un immense service. Je frappai ce soir-là à la porte de Sophie qui m'accueillit dans son lit. La relation que Luc entretenait avec Annabelle finit par me rapprocher de Sophie. Je dormais de plus en plus souvent chez elle, et Annabelle de plus en plus souvent chez moi. Les dimanches soir, Luc nous conviait dans mon studio et se mettait aux fourneaux, nous faisant profiter de ses talents de pâtissier. Je ne compte plus les quiches et tourtes que nous avons dégustées. À la fin du dîner, Sophie et moi laissions Luc et Annabelle « réviser leurs cours » en toute intimité.

*

Je n'avais pas revu ma mère depuis l'été, elle avait annulé sa visite automnale. Elle se sentait fatiguée et avait préféré s'épargner le voyage. Dans sa lettre, elle m'écrivait que, tout comme elle, la maison vieillissait. Elle avait commencé à la repeindre, et les odeurs de solvants avaient fini par l'incommoder. Au téléphone, elle m'avait assuré qu'il n'y avait aucune raison de s'inquiéter. Quelques semaines de repos et tout irait bien à nouveau. Elle m'avait fait jurer de venir la voir à Noël, et Noël approchait.

J'avais acheté son cadeau, pris mon billet de train et négocié de ne pas être de garde le 24 décembre.

Un chauffeur d'autobus et une plaque de verglas ruinèrent mes projets. Une embardée incontrôlable, au dire des témoins, le bus avait heurté un parapet avant de se coucher sur le flanc. Quarante-huit victimes à l'intérieur, seize sur le trottoir. Je préparais mon sac quand mon biper s'était mis à vibrer sur la table de nuit. J'appelai l'hôpital, tous les externes étaient mobilisés.

Le hall des Urgences était plongé dans un véritable chaos, les infirmières étaient débordées, les box d'examen tous occupés et le personnel courait en tout sens. Les blessés les plus graves attendaient leur tour pour entrer au bloc opératoire, les moins atteints patientaient sur des civières dans le couloir. Luc, en qualité de brancardier, faisait la navette entre les ambulances qui ne cessaient d'arriver et la salle de triage. C'était la première fois que nous travaillions ensemble. Il était pâle et, dès qu'il passait devant moi, je le surveillais attentivement.

Lorsque les pompiers lui confièrent un homme dont le tibia et le péroné sortaient à angle droit du mollet, je le vis se retourner vers moi, le visage verdâtre, et glisser lentement contre les portes du sas avant de s'effondrer de tout son long sur le carrelage à damier. Je me précipitai pour le relever et l'installai sur un fauteuil de la salle d'attente, le temps qu'il recouvre ses esprits.

La tourmente dura une bonne partie de la nuit. Au petit matin, les Urgences ressemblaient à un hôpital militaire quelques heures après la bataille. Le sol était maculé de sang et jonché de compresses.

Le calme revenu, l'équipe d'urgentistes s'affairait à remettre un peu d'ordre.

Luc n'avait pas quitté le fauteuil où je l'avais laissé. Je vins m'asseoir à côté de lui. Il se tenait la tête entre les genoux. Je le forçai à se redresser et à me regarder.

– C'est fini, lui dis-je. Tu viens de vivre ton baptême du feu et, contrairement à ce que tu penses, tu t'en es plutôt bien tiré.

Luc soupira, il fit un tour d'horizon et se précipita au-dehors pour se vider l'estomac. Je le suivis afin d'aller le soutenir.

– Qu'est-ce que tu disais sur la façon dont je m'en suis tiré ? demanda-t-il en s'adossant au mur.

– C'était une sacrée nuit de Noël, je t'assure que tu as été très bien.

– Je me suis comporté comme une merde, tu veux dire, j'ai tourné de l'œil et je viens de vomir ; pour un étudiant en médecine, j'imagine que c'est du plus bel effet.

– Si cela peut te rassurer, je me suis évanoui le premier jour où je suis entré en salle de dissection.

– Merci de m'avoir prévenu, mon premier cours de dissection a lieu lundi prochain.

– Tout se passera bien, tu verras.

Luc me lança un regard incendiaire.

– Non, rien ne se passe bien. Je pétrissais de la pâte, pas de la chair fraîche, je découpais des pains, pas des chemises et des pantalons ensanglantés et, surtout, je n'ai jamais entendu une brioche hurler à la mort, même quand je lui plantais un couteau dans le bonnet. Je me demande si je suis vraiment fait pour ça, mon vieux.

– Luc, la plupart des étudiants en médecine connaissent ce genre de doute. Tu t'habitueras avec le temps. Tu n'imagines pas combien c'est gratifiant de soigner quelqu'un.

– Je soignais les gens avec des pains au chocolat, et je peux te garantir que ça marchait à tous les coups, répondit Luc en ôtant sa blouse.

Je le retrouvai chez moi un peu plus tard dans la matinée. Il vidait son sac et, toujours en colère, rangeait ses affaires dans les tiroirs de la commode qui lui étaient réservés.

– C'est la première fois que ma petite sœur passe un Noël sans moi. Qu'est-ce que je vais dire au téléphone pour lui expliquer mon absence ?

– La vérité, mon vieux, raconte ta nuit, telle qu'elle s'est déroulée.

– À ma petite sœur de onze ans ? Tu as une autre idée de ce genre à me proposer ?

– Tu as consacré ta soirée de Noël à secourir des gens en détresse, que veux-tu que ta famille te reproche ? Et puis tu aurais pu être dans ce bus, alors arrête de te plaindre.

– J'aurais aussi pu être chez moi ! J'étouffe ici, j'étouffe dans cette ville, dans l'amphithéâtre, dans ces manuels qu'il faut avaler à longueur de nuit et de journée.

– Si tu me disais ce qui ne va pas ? demandai-je à Luc.

– Annabelle, voilà ce qui ne va pas. Je rêvais de

vivre une histoire avec une femme, tu ne peux pas savoir à quel point. Chaque fois que mon père me rappelait à l'ordre parce que j'avais la tête ailleurs, j'étais en train de m'imaginer avec une fille. Et maintenant que cela m'arrive, je n'ai plus qu'une envie, redevenir célibataire. Je t'en ai même voulu de ne pas t'investir plus dans ta relation avec Sophie. La première fois que je l'ai vue, chez ta mère, je me suis dit que c'était vraiment donner de la confiture aux cochons.

– Merci.

– Je suis désolé, mais je voyais bien que tu la regardais à peine, une fille comme ça, c'est tellement inouï.

– Tu es en train de me dire à demi-mot que tu as le béguin pour Sophie ?

– Ne sois pas idiot, si c'était le cas, je n'emploierais pas des demi-mots, je te dis juste que je ne comprends plus rien à rien. Je m'ennuie avec Annabelle, elle n'est pas franchement drôle. Elle se prend au sérieux et me regarde de haut parce que j'ai grandi en province.

– Qu'est-ce qui te fait dire ça ?

– Elle est partie passer les fêtes en famille, je lui ai proposé de la rejoindre mais j'ai bien senti que l'idée de me présenter à ses parents la gênait. Nous ne sommes pas du même monde.

– Tu ne crois pas que tu dramatises un peu ? Elle a peut-être eu peur du côté engageant de la chose ? Présenter quelqu'un à sa famille, ce n'est pas sans conséquence, enfin, cela signifie quelque chose, c'est une étape dans une relation.

– Tu as pensé à tout ça, quand tu as emmené Sophie chez ta mère ?

J'ai regardé Luc en silence. Non, je n'avais pensé à rien de tout cela quand j'avais proposé spontanément à Sophie de venir avec moi, et je réfléchissais seulement maintenant à ce qu'elle avait dû en conclure. Mon égoïsme et ma bêtise justifiaient sa distance à mon égard depuis le début de l'automne. Et je ne lui avais rien proposé pour Noël. Notre amitié amoureuse se fanait, et j'étais le seul à ne pas m'en rendre compte. Je laissai Luc à sa morosité et me précipitai sur le téléphone pour appeler Sophie. Aucune réponse. Peut-être avait-elle vu apparaître mon numéro sur le cadran et refusait-elle de décrocher ?

J'ai joint ma mère pour m'excuser de lui avoir fait faux-bond. Elle m'a dit de ne pas m'inquiéter, qu'elle comprenait très bien. Elle m'assura que nos échanges de cadeaux pouvaient attendre, elle tâcherait d'avancer son voyage de printemps et viendrait me voir dans le courant du mois de février.

*

Le soir du jour de l'An, j'étais officiellement de garde, j'avais troqué cette nuit contre ma liberté à Noël et j'avais perdu au change. Luc sauta dans un train pour rejoindre les siens. Je n'avais toujours aucune nouvelle de Sophie. Je m'installai sur un fauteuil dans le sas des Urgences en attendant que les premiers fêtards arrivent dans mon service. Cette nuit-là, je fis une rencontre des plus insolites.

La vieille dame avait été amenée aux Urgences par les pompiers à 23 heures. Elle était arrivée sur une civière et sa mine réjouie m'avait surpris.

– Qu'est-ce qui vous met de si bonne humeur ? lui demandai-je en prenant sa tension.

– C'est trop compliqué, vous ne pourriez pas comprendre, rétorqua-t-elle en ricanant.

– Donnez-moi une petite chance !

– Je vous assure, vous me prendriez pour une folle.

La vieille dame se redressa sur le brancard et me regarda attentivement.

– Je vous reconnais ! s'exclama-t-elle.

– Vous devez vous tromper, lui dis-je en m'interrogeant sur la nécessité de lui faire passer un scanner.

– Vous, vous êtes en train de vous dire que je suis gâteuse et vous vous demandez si vous ne devriez pas pousser plus loin vos examens. Pourtant, le plus gâteux des deux, c'est vous, mon cher.

– Si vous le dites !

– Vous habitez au quatrième droite et moi, juste au-dessus. Alors, jeune homme, quel est le plus distrait de nous deux ?

Depuis le début de ma médecine, je redoutais de renouer un jour avec mon père dans des circonstances similaires. Ce soir-là, c'était ma voisine que je rencontrais, non pas dans la cage d'escalier de notre immeuble, mais aux Urgences. Cinq ans que j'avais emménagé, cinq ans que j'entendais ses pas au-dessus de ma tête, le sifflement de sa bouilloire le matin, ses fenêtres quand elle les ouvrait, et jamais je ne m'étais demandé qui vivait là ni à quoi ressemblait la personne dont le quotidien semblait si proche du mien. Luc a raison, les grandes villes rendent fou, elles vous sucent l'âme et la recrachent comme une chique.

– Ne soyez pas gêné, mon grand, ce n'est pas parce que j'ai réceptionné deux, trois paquets pour vous que vous m'étiez redevable d'une petite visite. Nous nous sommes croisés plusieurs fois dans l'escalier, mais vous les grimpez tellement vite que si votre ombre vous suivait, vous la perdriez dans les étages.

– C'est drôle que vous disiez cela, répondis-je en observant ses pupilles à la lampe.

– Qu'est-ce qu'il y a de drôle ? s'étonna-t-elle en fermant les paupières.

– Rien. Et si vous me disiez enfin ce qui vous met de si bonne humeur ?

– Ah non, encore moins maintenant que je sais que vous êtes mon voisin. À ce sujet, j'aurais d'ailleurs une faveur à vous demander.

– Tout ce que vous voudrez.

– Si vous pouviez suggérer à votre copain de mettre une sourdine quand il fait des galipettes avec son amie, je vous en serais reconnaissante. Je n'ai rien contre les ébats de la jeunesse, mais à mon âge, hélas, on a le sommeil léger.

– Si cela peut vous rassurer, vous n'entendrez plus

rien, j'ai cru comprendre que leur rupture était imminente.

– Ah, fit la vieille dame songeuse, j'en suis désolée. Bon, si je n'ai rien, je peux rentrer chez moi ?

– Je dois vous garder en observation, j'y suis obligé.

– Qu'est-ce que vous voulez observer ?

– Vous !

– Eh bien je vais vous faire gagner du temps. Je suis une vieille dame d'un certain âge qui ne vous regarde pas et j'ai glissé dans ma cuisine. Il n'y a rien d'autre à voir ni à faire que de me bander cette cheville qui gonfle à vue d'œil.

– Reposez-vous, nous allons vous envoyer à la radio et, si rien n'est cassé, je vous raccompagnerai à la fin de ma garde.

– Parce que nous sommes entre voisins, je vous donne trois heures. Sinon je rentre par mes propres moyens.

J'ai rédigé une prescription pour une radiographie et confié ma patiente à un brancardier avant de retourner à mon travail. Les nuits de réveillon sont les pires de toutes aux Urgences, dès minuit trente arrivent les premiers malades. Alcools et nourriture en surabondance, le sens de la fête chez certains me dépassera toujours.

J'ai retrouvé ma voisine au petit matin, assise sur une chaise roulante, son sac sur les genoux et le pied bandé.

– Heureusement que vous avez choisi la médecine,

parce que comme chauffeur vous auriez été recalé. Vous me ramenez maintenant ?

– Je termine mon service dans une demi-heure. Votre cheville vous fait souffrir ?

– Une foulure, pas besoin d'être toubib pour le savoir. Si vous allez me chercher un café au distributeur, je veux bien vous attendre encore un peu ; un peu, mais pas plus.

Je me rendis au distributeur de boissons et lui rapportai son café. Elle trempa les lèvres dans le gobelet et me le rendit avec un air de dégoût en désignant la poubelle accrochée à un poteau.

Le hall des Urgences était désert. J'ôtai ma blouse, attrapai mon manteau dans le local de garde et poussai la chaise roulante au-dehors.

Je guettais un taxi quand un ambulancier me reconnut et me demanda où j'allais. Il terminait son service et accepta gentiment de nous déposer. Tout aussi généreusement, il m'aida à porter ma voisine dans l'escalier. Arrivés au cinquième étage, nous étions à bout de souffle. Ma voisine me tendit ses clés. L'ambulancier nous laissa et j'aidai la vieille dame à s'installer dans son fauteuil.

Je lui promis de revenir lui apporter tout ce dont elle pourrait avoir besoin ; avec sa cheville fragilisée, il était préférable qu'elle renonce à la cage d'escalier pendant quelque temps. Je griffonnai mon numéro de téléphone sur une feuille de papier, la posai en évidence sur un guéridon et lui fis promettre de ne pas hésiter à me joindre si elle avait le moindre problème. J'allais me retirer lorsqu'elle m'appela.

– Vous n'êtes pas très curieux, vous ne m'avez même pas demandé mon prénom.

– Alice, vous vous appelez Alice, c'était inscrit sur votre feuille d'admission.

– Ma date de naissance aussi ?

– Également.

– C'est fâcheux.

– Je n'ai pas fait le calcul.

– Vous êtes galant mais je ne vous crois pas. Oui, j'ai quatre-vingt-douze ans et je sais, je n'en fais que quatre-vingt-dix !

– Bien moins, j'aurais juré que vous aviez...

– Taisez-vous, quoi que vous disiez ce sera toujours trop. Vous n'êtes quand même pas très curieux, je ne vous ai toujours pas dit ce qui m'amusait tant en arrivant à l'hôpital.

– J'avais oublié, lui avouai-je.

– Allez donc dans la cuisine, vous y trouverez un paquet de café dans le placard au-dessus de l'évier, vous savez vous servir d'une cafetière ?

– J'imagine que oui.

– De toute façon, ça ne pourra pas être pire que le poison que vous m'avez servi tout à l'heure.

Je préparai le café du mieux possible et revins dans le salon un plateau dans les mains. Alice nous servit, elle but sa tasse sans faire de commentaire, j'avais réussi l'épreuve.

– Alors, pourquoi cette bonne humeur hier soir ? repris-je. Se faire mal n'a rien de réjouissant.

Alice se pencha vers la table basse et me présenta une boîte de biscuits.

– Mes enfants m'emmerdent, si vous saviez à quel point ! Leurs conversations m'insupportent, la femme de l'un et le mari de l'autre m'insupportent encore plus. Ils passent leur temps à se plaindre, ne s'intéressent à rien d'autre qu'à leurs petites vies. Ce n'est pas faute de leur avoir enseigné la poésie. J'étais professeur de français figurez-vous, mais ces deux imbéciles n'avaient de goût que pour les chiffres. Je voulais échapper au réveillon chez ma belle-fille, autant dire à un calvaire, elle cuisine avec ses pieds, même une dinde s'autocuirait mieux. Pour ne pas prendre le train hier matin et les rejoindre dans leur sinistre propriété de campagne, j'ai prétendu m'être foulé la cheville. Ils ont tous prétendu être désolés ; je vous rassure, cinq minutes, pas plus.

– Et si l'un d'eux avait décidé de venir vous chercher en voiture ?

– Aucun risque, ma fille et mon fils font un concours d'égoïsme depuis qu'ils ont seize ans. Ils en ont quarante de plus et personne n'a encore pu désigner le gagnant. J'étais dans ma cuisine en train de me dire qu'à leur retour de vacances il faudrait que je porte un bandage autour de la cheville pour donner corps à mon mensonge quand j'ai glissé et me suis retrouvée les quatre fers en l'air. À minuit moins le quart, les pompiers sont arrivés. J'ai réussi à leur ouvrir la porte, six beaux garçons dans mon appartement, rien que pour moi le soir du réveillon, en lieu et place de la dinde de ma belle-fille, je n'en demandais pas tant ! Ils m'ont examinée et sanglée sur leur civière pour descendre l'escalier. Il était minuit pile, alors que nous allions partir pour l'hôpital, j'ai demandé au capitaine s'il voulait bien attendre quelques instants de plus. Mon état ne justifiait aucune urgence. Il a accepté, je leur ai offert des chocolats, nous avons attendu le temps qu'il fallait...

– Qu'est-ce que vous attendiez ?

– À votre avis ? Que le téléphone sonne ! Ce n'est pas encore cette année que l'on départagera mes deux oisillons. En arrivant à l'hôpital, je riais à cause de ma cheville qui gonflait dans le camion de pompiers. Finalement je l'ai eu, mon bandage.

J'ai aidé Alice à s'allonger sur son lit, j'ai allumé son poste de télévision et l'ai laissée se reposer. Aussitôt rentré chez moi, je me suis précipité sur le téléphone pour appeler ma mère.

Janvier était glacial. Luc rentra de son séjour plus motivé que jamais par ses études. Son père lui avait tapé sur les nerfs et sa petite sœur avait passé plus de temps avec sa console de jeux qu'à lui parler. À ma demande, Luc était allé rendre visite à ma mère. Il lui avait trouvé une petite mine. Elle lui avait confié une lettre et un cadeau de Noël à me remettre.

Mon chéri,

Je sais combien ton travail t'accapare. Ne regrette rien, j'étais un peu fatiguée le soir de Noël et me suis couchée tôt. Le jardin est comme moi, endormi sous le givre de l'hiver. Les haies sont blanches et le spectacle est magnifique. Le voisin est venu me porter plus de bois qu'il n'en faut pour tenir un siège. Le soir, j'allume ma cheminée et regarde le feu crépiter dans l'âtre en pensant à toi et à la vie trépidante que tu mènes. Cela me rappelle tant de souvenirs. Tu dois mieux comprendre pourquoi il m'arrivait de rentrer épuisée à la maison et j'espère que tu me pardonnes maintenant ces soirées où je ne trouvais pas toujours la force de te parler. J'aimerais te voir plus souvent, ta présence me manque, mais je suis fière et heureuse de ce que tu accomplis. Je viendrai te voir dès les premiers jours du printemps. Je sais que je t'avais promis une visite en février mais avec le gel qui perdure, je préfère être prudente ; je ne voudrais pas m'imposer à toi en patiente éclopée. Si par chance tu réussissais à prendre quelques jours, et bien qu'en t'écrivant cela je sache la chose impossible, j'en serais la plus heureuse des mères.

C'est une belle année qui nous attend, en juin tu seras diplômé et ton internat commencera. Tu le sais mieux que moi mais le seul fait d'écrire ces mots me rend si fière que je pourrais les recopier cent fois.

Alors, bonne et heureuse année, mon enfant.

Ta maman qui t'aime.

P-S : Si tu n'aimes pas la couleur de cette écharpe, tant pis, tu ne pourras pas la changer, c'est moi qui te l'ai tricotée. Si elle est un peu de traviole, c'est normal, c'est la première fois que je tricote et la dernière aussi, j'ai eu horreur de ça.

J'ai défait le paquet et passé l'écharpe autour de mon cou. Luc s'est aussitôt payé ma tête. Elle était violette et plus large à une extrémité qu'à l'autre. Mais une fois nouée, on n'y voyait que du feu. Cette écharpe, je l'ai portée tout l'hiver.

*

Sophie avait réapparu à la fin de la première semaine de janvier. J'étais passé chaque nuit dans son service, sans jamais l'y trouver. C'est elle qui vint me rendre visite aux Urgences, le jour de son retour. La couleur hâlée de sa peau détonnait au milieu de la pâleur des visages environnants. Elle avait eu, me dit-elle, besoin de prendre l'air. Je l'entraînai dans le petit café en face de l'hôpital et nous dînâmes tous deux avant de reprendre notre service.

– Tu étais où ?

– Comme tu peux le constater, au soleil.

– Seule ?

– Avec une amie.

– Qui ?

– Moi aussi j'ai des amies d'enfance. Comment va ta mère ?

Elle me laissa parler un long moment et, soudain, elle posa sa main sur la mienne et me regarda avec insistance.

– Cela fait combien de temps, toi et moi ? me demanda-t-elle.

– Pourquoi cette question ?

– Réponds-moi. C'était quand, notre première fois ?

– Le jour où nos lèvres ont glissé alors que j'étais venu te voir dans ton service, dis-je sans aucune hésitation.

Sophie me regarda, l'air désolé.

– Le jour où je t'ai offert une glace au parc ? continuai-je.

Sa mine s'assombrit encore plus.

– Je te demande une date.

J'avais besoin de quelques secondes de réflexion, elle ne m'en laissa pas le temps.

– La première fois que nous avons fait l'amour, c'était il y a deux ans, jour pour jour. Tu ne t'en souviens même pas. Nous ne nous sommes pas vus depuis deux semaines et nous fêtons cet anniversaire dans un bar miteux en face de l'hôpital, juste parce qu'il faut bien avaler quelque chose avant de prendre notre garde. Je ne peux plus être tantôt ta meilleure amie, tantôt ta maîtresse. Tu es prêt à te dévouer à la terre entière, à un étranger rencontré le matin même, et moi, je ne suis que la bouée à laquelle tu t'accroches les jours d'orage mais que tu délaisses aussitôt qu'il fait beau. Tu as eu plus d'attention pour Luc en quelques mois que pour moi depuis deux ans. Que tu refuses de le voir ou pas, nous ne sommes plus dans une cour d'école à faire les quatre cents coups. Je suis une ombre dans ta vie, tu es bien plus que ça dans la mienne et ça me fait du mal. Pourquoi m'as-tu emmenée chez ta mère, pourquoi ce moment si intime dans ton grenier, pourquoi m'avoir laissée entrer dans ta vie si ce n'était qu'en simple visiteuse ? J'ai pensé cent fois te quitter mais je n'y arrive pas toute seule. Alors je te demande un service, fais-le pour nous, ou si tu crois que nous avons quelque chose à partager, même si ce n'est que pour un temps, donne-nous vraiment les moyens de vivre cette histoire.

Sophie s'est levée et a quitté la salle. À travers la vitrine, je l'ai vue sur le trottoir attendant que le feu passe au rouge pour traverser la rue, il pleuvait, elle a remonté le col de sa blouse sur sa nuque et, sans que je sache pourquoi, ce geste si anodin m'a donné terriblement envie d'elle. J'ai vidé mes poches sur la table pour payer l'addition et je me suis précipité à sa poursuite. Nous nous sommes embrassés sous une averse glaciale, et entre nos baisers, je me suis excusé du mal que je lui avais fait. Si j'avais su, je lui aurais aussi demandé pardon du mal que j'allais bientôt lui faire, mais je l'ignorais encore et mon désir était sincère.

Une brosse à dents dans un verre, deux ou trois affaires dans un placard, un réveil sur une table de nuit, quelques livres emportés, j'ai laissé mon studio à Luc et me suis installé chez Sophie. Je repassais tous les jours chez moi, une petite visite de rien du tout, comme un marin qui vient à quai vérifier les amarres. J'en profitais chaque fois pour monter un étage de plus. Alice se portait comme un charme. Nous faisions un brin de conversation, elle débitait des horreurs sur ses enfants et cela la réjouissait. J'avais laissé des consignes à Luc pour que, en mon absence, il s'assure à son tour qu'elle ne manquait de rien.

Un soir, alors que nous nous retrouvions tous les deux par hasard chez elle, elle nous fit une remarque pour le moins surprenante.

– Au lieu de mettre des enfants au monde et de s'évertuer à les élever, on ferait mieux de les adopter à l'âge adulte, au moins on saurait à qui on a affaire. Vous deux, je vous aurais tout de suite choisis.

Luc me regarda, stupéfait, et Alice, folle de joie devant son effet, enchaîna.

– Ne soyons pas hypocrites, tu m'as bien dit que tes parents te tapaient sur les nerfs, alors pourquoi les parents n'auraient-ils pas le droit de ressentir la même chose à l'égard de leur progéniture ?

Et, comme Luc demeurait sans voix, je l'entraînai dans la cuisine et lui expliquai en aparté qu'Alice avait une forme d'humour particulière. Il ne fallait pas lui en vouloir, elle se consumait de chagrin. Elle avait beau tout essayer pour rester digne devant tant de peine, et même tenter de les haïr, rien n'y faisait, l'amour qu'elle portait à ses enfants était le plus fort. Elle souffrait le martyre d'avoir été abandonnée.

Ce n'est pas Alice qui m'avait confié ce secret, mais un matin, alors que je lui rendais visite, le soleil était entré dans son salon et nos ombres s'étaient côtoyées d'un peu trop près.

*

Aux premiers jours de mars, le personnel des Urgences fut convoqué en assemblée générale. On avait découvert que les dalles des faux plafonds contenaient de l'amiante. Des équipes spécialisées devaient venir les remplacer, les travaux dureraient trois jours et trois nuits. Pendant ce temps, un autre centre hospitalier prendrait la relève. Le personnel était au chômage technique tout le week-end.

J'appelai aussitôt ma mère pour lui faire part de la bonne nouvelle, j'allais pouvoir lui rendre visite, j'arriverais le vendredi. Ma mère resta silencieuse un instant et m'annonça qu'elle était désolée, elle avait promis à une amie de l'accompagner dans le Sud. L'hiver avait été particulièrement rigoureux et quelques jours de soleil ne pouvaient pas leur faire de mal. Le voyage était organisé depuis des semaines, les arrhes déjà versées à l'hôtel et les billets d'avion non remboursables. Elle ne voyait pas comment annuler. Elle avait tellement envie de me voir, c'était vraiment idiot, elle espérait que je comprendrais et ne lui en voudrais pas. Sa voix était si pâle que je la rassurai aussitôt, non seulement je comprenais mais je me réjouissais qu'elle sorte de chez elle pour faire un petit voyage. Le printemps arriverait avec la fin du mois et, lorsqu'elle viendrait, nous rattraperions le temps perdu.

Ce soir-là, Sophie était de garde, moi pas. Luc était en pleines révisions et il avait besoin d'un coup de main. Après avoir dévoré une assiette de pâtes, nous nous installâmes à mon bureau, je jouai au professeur, il endossa le rôle de l'élève. À minuit, il envoya son manuel de biologie valdinguer à l'autre bout de la pièce. J'avais connu, à l'approche des examens de première année, une tension similaire, l'envie de tout plaquer, de fuir le risque d'échouer. J'allai récupérer le livre et repris comme si rien ne s'était passé. Mais Luc était ailleurs et son désarroi m'inquiétait un peu.

– Si je ne quitte pas cet endroit pendant au moins deux jours, je vais imploser, dit-il. Je donnerai ce qui restera de mon corps à la médecine. Le premier incubateur humain à avoir pété de l'intérieur, ça devrait les intéresser. Je me vois déjà allongé sur la table de dissection, entouré de jeunes étudiantes. Au moins, des filles m'auront tripoté les roubignoles juste avant que je finisse six pieds sous terre.

De cette tirade, je conclus que mon ami avait vraiment besoin de prendre l'air. Je réfléchis à la situation et lui proposai d'aller poursuivre ses révisions à la campagne.

– J'aime pas les vaches, me répondit-il, lugubre.

Un silence s'installa, je ne quittais pas Luc des yeux tandis qu'il continuait de regarder dans le vague.

– La mer, dit-il. Je veux voir la mer, l'horizon jusqu'à l'infini, le grand large, les embruns, entendre les mouettes...

– Je crois que j'ai compris le tableau, lui dis-je.

Les premières côtes se trouvaient à trois cents kilomètres, le seul train qui s'y rendait était un omnibus, le voyage prendrait six heures.

– Louons une voiture, tant pis, mon salaire de brancardier y passera, c'est moi qui régale, mais je t'en supplie, emmène-moi à la mer.

Au moment où Luc achevait sa supplique, Sophie poussa la porte et entra dans le studio.

– C'était ouvert, dit-elle, je ne vous dérange pas ?

– Je croyais que tu étais de garde ?

– Moi aussi je le croyais, je me suis tapé quatre heures pour rien. Je me suis trompée de jour, et il m'a fallu tout ce temps-là pour me rendre compte qu'on était deux dans le service. Quand je pense que j'aurais pu passer une vraie soirée avec toi.

– En effet, fis-je.

Sophie me regarda longuement, sa moue présageait du pire. J'ouvrais grand les yeux, une façon silencieuse de lui demander ce qui n'allait pas.

– Tu pars à la mer ce week-end, si j'ai bien compris ? Oh, ne fais pas cette tête, je n'écoute pas aux portes, Luc beuglait tellement qu'on l'entendait depuis l'escalier.

– Je ne sais pas, répliquai-je. Puisque tu as profité de notre conversation, tu auras remarqué que je n'ai encore rien répondu.

Luc suivait l'échange du regard, tel un spectateur dans les gradins d'un court de tennis.

– Tu fais ce que tu veux, si vous avez envie de passer le week-end ensemble, je trouverai bien à m'occuper, ne vous inquiétez pas pour moi.

Luc avait dû deviner le dilemme auquel j'étais confronté. Il se leva d'un bond, se jeta aux pieds de Sophie et, s'accrochant à ses chevilles, se mit à la supplier. Je me souvenais de l'avoir vu faire un numéro similaire pour échapper un jour à une colle de Mme Schaeffer.

– Je t'en supplie, Sophie, viens avec nous, ne fais pas ta bêcheuse, ne le culpabilise pas, je sais que tu aurais voulu passer ces deux jours avec lui, mais il était sur le point de me sauver la vie. À quoi sert de faire médecine si tu refuses de porter assistance à une personne en danger, surtout quand la personne en question, c'est moi ? Je vais mourir asphyxié sous les livres si vous ne me sortez pas d'ici. Viens avec nous, aie pitié, j'irai m'installer sur la plage et vous ne me verrez pas, je serai invisible. Je te promets de me tenir à distance, je ne dirai pas un mot, tu finiras par en oublier que je suis là. Deux jours à la mer, rien que vous deux et l'ombre de moi, dis oui, je t'en prie, je paie la location de la voiture, l'essence et l'hôtel. Tu te souviens des croissants que je n'avais faits que pour toi ? Je ne te connaissais pas, et je savais déjà qu'on allait bien s'entendre. Si tu dis oui, je te ferai des chouquettes comme jamais tu n'en as mangé.

Sophie baissa les yeux, et demanda d'une voix très sérieuse.

– C'est quoi, d'abord, des chouquettes ?

– Raison de plus pour venir, reprit Luc, tu ne peux pas passer à côté de mes chouquettes ! Et si tu refuses, ce crétin ne viendra pas non plus, et si je ne vais pas prendre l'air, je ne pourrai pas reprendre mes révisions, je raterai mes examens, bref ma carrière de médecin est entre tes mains.

– Arrête de faire l'imbécile, dit tendrement Sophie en l'aidant à se relever.

Elle hocha la tête et conclut qu'il n'y en avait pas un pour racheter l'autre.

– Deux gamins ! dit-elle. Va pour la mer, et je veux mes chouquettes dès notre retour.

Nous avons laissé Luc à ses révisions, il passerait nous chercher le vendredi matin.

Alors que nous marchions vers chez elle, Sophie me prit par la main.

– Tu aurais vraiment renoncé à ce week-end si j'avais refusé de venir ? me demanda-t-elle.

– Tu aurais refusé ? lui répondis-je.

En entrant dans son studio, elle me confia que Luc était quand même un type unique en son genre.

Luc avait sans nul doute réussi à dénicher la voiture de location la moins chère de la ville. Un vieux break aux ailes toutes de couleurs différentes. La calandre manquante, les deux phares séparés par un radiateur rouillé évoquaient une paire d'yeux au strabisme prononcé.

– Bon, elle louche un peu, dit Luc alors que Sophie hésitait à monter dans ce tas de ferraille, mais le moteur ronronne et les plaquettes de freins sont neuves. Même si l'embrayage craque un peu, elle nous mènera à bon port, et puis vous verrez, elle est spacieuse.

Sophie préféra s'installer à l'arrière.

– Je vous laisse devant, dit-elle en refermant sa portière dans un affreux grincement.

Luc fit tourner la clé de contact et se retourna vers nous, ravi. Il avait raison, le moteur ronronnait gentiment.

Les amortisseurs étaient d'origine et le moindre virage nous faisait tanguer dans un balancement digne d'un manège. Après cinquante kilomètres,

Sophie supplia pour que l'on s'arrête à la première station-service. Elle me délogea sans ménagement, elle préférait encore tenter sa chance à la place du mort que d'avoir à supporter le mal de cœur qu'elle ressentait sur la banquette arrière, glissant d'une fenêtre à l'autre à chaque coup de volant.

Nous en profitâmes pour faire le plein d'essence et avaler chacun un sandwich avant de reprendre la route.

Quant au reste du voyage, je ne m'en souviens plus. Allongé à mon aise et bercé par la route, je sombrai dans un profond sommeil. Il m'arrivait parfois d'entrouvrir les yeux, Sophie et Luc étaient en pleine conversation, leurs voix contribuaient à me bercer encore et je me rendormais.

Cinq heures après notre départ, Luc me secoua, nous étions arrivés.

Il gara la voiture devant la façade d'un vieil hôtel aussi décrépi qu'elle. À croire que cette épave avait retrouvé le chemin de sa maison.

– Je vous l'accorde, ce n'est pas un quatre étoiles, mais je me suis engagé à payer la note et c'est tout ce que je peux vous offrir, dit Luc en sortant nos sacs du coffre.

Nous le suivîmes jusqu'à la réception sans commentaire. La propriétaire de l'établissement balnéaire avait dû en prendre la gérance l'année de ses vingt ans, elle en avait cinquante de plus et son allure se confondait parfaitement avec la décoration du lieu. J'aurais imaginé que, hors saison, nous serions les seuls clients, mais une quinzaine de personnes âgées se penchèrent à la balustrade, curieuses de voir la tête des nouveaux visiteurs.

– Ce sont des réguliers, dit la patronne en haussant les épaules. La maison de retraite du coin a perdu sa licence, j'ai bien été obligée de récupérer tout ce joli petit monde, on n'allait pas les laisser à la rue. Vous avez de la chance, un des mes locataires est mort la semaine dernière, sa chambre est libre, je vais vous y conduire.

– Là, je dois dire que nous avons vraiment de la chance ! souffla Sophie en empruntant l'escalier.

La patronne demanda à ses pensionnaires de bien vouloir nous faire un peu de place dans le couloir afin de nous laisser passer.

Sophie distribua sourire sur sourire à chacun d'eux. Si l'hôpital venait à nous manquer, balança-t-elle à Luc, au moins nous ne serions pas trop dépaysés.

– Comment crois-tu que j'ai eu le tuyau ? rétorqua-t-il. Une copine de première année m'a filé l'adresse, pendant les vacances elle vient donner un coup de main pour se faire un peu d'argent.

La porte de la chambre 11 s'ouvrit sur une pièce à deux lits. Sophie et moi nous retournâmes vers Luc.

– Je vous promets de me faire discret, s'excusa-t-il. Les hôtels sont faits pour dormir, non ? Et puis si vous voulez avoir la paix, j'irai coucher à l'arrière du break, voilà tout.

Sophie posa sa main sur l'épaule de Luc et lui dit que nous étions venus ici pour voir la mer et que c'était tout ce qui comptait. Rassuré, Luc nous proposa de choisir le lit que nous préférions.

– Aucun, marmonnai-je en lui donnant un coup de coude.

Sophie opta pour celui qui se trouvait le plus éloigné de la fenêtre et le plus proche de la salle d'eau.

Nos sacs posés, elle suggéra de ne pas nous attarder plus longtemps. Elle avait faim et envie de voir le grand large. Luc ne se le fit pas répéter deux fois.

La plage se trouvait à six cents mètres à pied, nous expliqua la patronne en nous griffonnant un plan sur une feuille de papier. En chemin, nous trouverions une brasserie qui servait toute la journée.

– C'est moi qui vous invite, proposa Sophie, déjà enivrée par les embruns qui venaient jusqu'à nous.

C'est alors que nous nous engagions dans la rue du marché que je ressentis une impression de déjà-vu, j'aurais juré être venu ici auparavant. Je haussai les épaules, toutes les petites stations balnéaires se ressemblent, mon imagination devait encore me jouer des tours.

Luc et Sophie étaient affamés, le menu du jour ne les avait pas rassasiés et Sophie commanda une tournée de crèmes caramel.

Lorsque nous sortîmes de la brasserie, la nuit était tombée. La mer n'était pas bien loin, même si nous ne pourrions pas voir grand-chose dans l'obscurité, nous décidâmes d'aller faire un tour sur la plage.

La digue était à peine éclairée, trois vieux réverbères scintillaient à bonne distance les uns des autres, puis le reste de la jetée plongeait dans le noir.

– Vous sentez ça ? s'exclama Luc en écartant les

bras. Vous sentez ce parfum d'iode ? Je viens enfin de me débarrasser de la puanteur du désinfectant de l'hôpital qui ne m'a pas quitté depuis que je travaille comme brancardier. Je suis allé jusqu'à me frotter l'intérieur des narines avec une brosse à dents pour m'en débarrasser, rien n'y fait, mais là, quelle merveille ! Et ce bruit, vous entendez le bruit des vagues ?

Luc n'attendit pas notre réponse, il ôta chaussures et chaussettes et se mit à courir sur le sable, fonçant vers la ligne d'écume. Sophie le regarda s'éloigner, elle me fit un petit clin d'œil, se déchaussa et fila rejoindre Luc qui pourchassait la marée descendante en criant à tue-tête. J'avançai à mon tour, la lune était presque pleine et je vis s'étirer mon ombre devant moi. Au détour d'une flaque, j'aurais juré voir, dans les reflets d'eau salée, la silhouette d'une petite fille qui me regardait.

Je retrouvai Luc et Sophie, aussi essoufflés l'un que l'autre. Nous avions les pieds glacés, Sophie commençait à grelotter. Je la pris dans mes bras pour lui frotter le dos, il était temps de rentrer. Nous retraversâmes la station, nos chaussures à la main. Tous les occupants de l'hôtel dormaient déjà, nous grimpâmes l'escalier à pas de loup.

Une fois douchée, Sophie se glissa dans les draps et s'endormit aussitôt. Luc la regarda dans son sommeil, il me fit un petit signe et éteignit la lumière.

*

Au matin, l'idée de prendre notre petit déjeuner dans la salle à manger ne nous enchantait guère. L'ambiance n'y était pas d'une gaieté folle et les bruits de mastication étaient peu ragoûtants.

– C'est inclus dans le prix, insista Luc.

Mais, devant la mine déconfite de Sophie qui rechignait à tartiner ses biscottes, Luc repoussa sa chaise, nous ordonna de l'attendre et disparut dans la cuisine. Quinze longues minutes plus tard, les pensionnaires attablés relevèrent la tête de leurs assiettes, le nez alerté par une odeur inhabituelle. Plus un bruit ne se fit entendre, tous les petits vieux avaient reposé leurs couverts et chacun fixait la porte de la salle à manger, l'œil vif.

Luc arriva enfin, la tête enfarinée, portant un panier rempli de galettes. Il fit le tour des tables, en offrit deux à chacun, puis il nous rejoignit, en posa trois dans l'assiette de Sophie, et s'installa.

– Je me suis débrouillé avec ce que j'ai trouvé, dit-il en s'asseyant. Il faudra que nous pensions à aller acheter trois paquets de farine, et autant de beurre et de sucre, je crois que j'ai dévalisé les réserves de notre taulière.

Ses galettes étaient savoureuses, tièdes et fondantes.

– Ça me manque, tu sais, dit Luc en faisant un tour d'horizon. J'aimais ça, voir les premiers clients du matin arriver de bon appétit à la boulangerie. Regarde autour de nous comme ils semblent heureux, ce n'est pas de la médecine à proprement parler, mais ça a l'air de leur avoir fait du bien.

Je relevai la tête, les pensionnaires se régalaient.

Au silence du matin, lorsque nous étions entrés, avaient succédé des conversations animées.

– Tu as des mains en or, dit Sophie la bouche pleine, après tout c'est peut-être une forme de médecine.

– Celui-là, dit Luc en désignant un vieillard qui se tenait droit comme un piquet, ça pourrait être Marquès dans quelques années.

Chacun de nos voisins avait au moins trois fois nos âges. Au milieu de ces visages badins – on entendait même par-ci par-là fuser quelques éclats de rire – j'eus l'étrange impression d'être de retour dans la cantine d'une école où mes copains de classe auraient pris un léger coup de vieux.

– On va voir à quoi ressemble la mer au grand jour ? proposa Sophie.

Le temps de remonter dans notre chambre, d'enfiler un pull et un manteau, nous quittions la pension.

En arrivant sur la plage, je compris enfin ce que j'avais ressenti la veille. Cette petite station balnéaire ne m'était pas inconnue. Au bout de la jetée, la lanterne d'un phare émergea de la brume du matin, un petit phare abandonné, fidèle au souvenir que j'en avais gardé.

– Tu viens ? me demanda Luc.

– Pardon ?

– Il y a un troquet ouvert au bout de la plage. Sophie et moi rêvons d'un vrai café ; celui de l'hôtel, c'était de la lavasse.

– Allez-y, je vous rejoindrai, j'ai besoin d'aller vérifier quelque chose.

– Tu as besoin d'aller vérifier quelque chose sur la plage ? Si tu es inquiet que la mer soit partie, je te promets qu'elle reviendra ce soir.

– Tu peux me rendre ce petit service sans me prendre pour un imbécile ?

– Et de mauvais poil en plus ! Votre serviteur accompagnera donc Madame, pendant que Monsieur ira compter les coquillages. Dois-je transmettre un message ?

N'écoutant plus les âneries de Luc, je rejoignis Sophie, m'excusai de lui fausser compagnie et promis de les retrouver très vite.

– Où vas-tu ?

– Un souvenir qui m'est revenu, je vous rejoins dans un quart d'heure tout au plus.

– Quel genre de souvenir ?

– Je crois être déjà venu ici, avec ma mère, pour quelques jours qui ont beaucoup compté dans ma vie.

– Et tu t'en rends compte seulement maintenant ?

– C'était il y a quatorze ans et je ne suis jamais revenu depuis.

Sophie tourna les talons. Tandis qu'elle s'éloignait au bras de Luc, j'avançai vers la digue.

Le panneau rouillé pendait toujours au bout de sa chaîne. D'*Accès interdit*, on ne pouvait plus lire que les *c* et les *i*. Je l'ai enjambé, j'ai poussé la porte en fer dont la serrure rongée par le sel avait disparu depuis longtemps et j'ai monté l'escalier jusqu'au balcon de veille. Les marches semblaient avoir rapetissé, je les croyais plus hautes. J'ai grimpé à l'échelle menant à la coupole, les vitres étaient intactes mais noires de crasse. Je les ai essuyées avec mes poings et j'ai posé mes yeux sur les deux cercles que j'avais fait apparaître, deux cercles comme des jumelles pointées vers mon passé.

Mon pied buta sur quelque chose. Au sol, sous un manteau de poussière, je découvris une caisse en bois. Je me suis agenouillé et l'ai ouverte.

À l'intérieur gisait un très vieux cerf-volant. L'armature était intacte mais la voilure de l'aigle en très mauvais état. J'ai pris l'oiseau dans mes bras et lui ai caressé les ailes avec mille précautions, il semblait si fragile. Puis j'ai regardé au fond de la caisse, et j'en ai eu le souffle coupé. Un long filet de sable formait encore la trace d'un demi-cœur. À côté, se trouvait une feuille de papier roulée en cône. Je l'ai dépliée et j'ai lu :

Je t'ai attendu quatre étés, tu n'as pas tenu ta promesse, tu n'es jamais revenu. Le cerf-volant est mort, je l'ai enterré ici, qui sait si un jour tu le trouveras.

Le mot était signé *Cléa.*

Quarante mètres. Le dévidoir avait été enroulé avec une parfaite minutie. Je redescendis vers la plage, étendis mon aigle sur le sable et en assemblai les bâtonnets de bois. Je vérifiai le nœud qui retenait l'ensemble, déroulai cinq mètres de ligne et me mis à courir contre le vent.

Les ailes de l'aigle se gonflèrent, il partit sur la gauche, vira à droite et se dressa dans le ciel. J'essayais de lui faire faire des « S » et des « 8 » parfaits mais sa voilure trouée répondait mal à mes commandes. Je lâchai un peu de mou et il s'éleva d'autant. Son ombre zigzaguait sur le sable et, dans sa danse, elle m'enivrait. J'ai entendu ce rire incontrôlable me gagner, un rire qui remontait du plus profond de mon enfance, un rire sans pareil, au timbre de violoncelle.

Qu'était devenue ma confidente d'un été, la petite fille à qui j'avais avoué sans peur tous mes secrets, puisqu'elle ne pouvait pas les entendre ?

J'ai fermé les yeux, nous courions à perdre haleine, entraînés par notre aigle qui nous ouvrait la marche. Tu le faisais voler mieux que personne et, souvent, des promeneurs s'arrêtaient pour admirer ta dextérité. Combien de fois t'ai-je prise par la main à cet endroit même ? Qu'es-tu devenue ? Où vis-tu désormais ? Sur quelle plage vas-tu passer tes étés ?

– À quoi tu joues ?

Je n'avais pas entendu arriver Luc.

– Il joue au cerf-volant, répondit Sophie. Je peux essayer ? demanda-t-elle en approchant sa main de la poignée.

Elle me la confisqua sans me laisser le temps de réagir. Le cerf-volant fit une pirouette et piqua vers la plage. En heurtant le sable, il se brisa.

– Ah ! désolée, s'excusa Sophie, je ne suis pas très douée.

Je me précipitai vers l'endroit où mon cerf-volant était tombé. Ses deux suspentes étaient cassées, les ailes brisées, repliées sur le torse. Il avait piètre allure. Je m'agenouillai et le pris entre mes mains.

– Ne fais pas cette tête-là, on dirait que tu vas te mettre à pleurer, me dit Sophie. Ce n'est qu'un vieux cerf-volant, si tu veux on peut aller t'en acheter un tout neuf.

Je n'ai rien répondu. Peut-être parce que lui raconter l'histoire de Cléa aurait été la trahir. C'est sacré, un amour d'enfance, rien ne peut vous l'enlever. Ça reste là, ancré au fond de vous. Qu'un souvenir le libère et il remonte à la surface, même avec les ailes brisées. J'ai replié la voilure et rembobiné le fil. Puis j'ai demandé à Luc et à Sophie de m'attendre et je suis allé le replacer dans son phare. Une fois dans la tourelle, je l'ai déposé dans sa caisse et je lui ai demandé pardon ; je sais, c'est idiot de parler à un vieux cerf-volant, mais c'est comme ça. J'ai refermé le couvercle de la boîte et je me suis bêtement mis à pleurer, sans pouvoir m'en empêcher.

J'ai rejoint Sophie, incapable de lui parler.

– Tu as les yeux tout rouges, a-t-elle murmuré en me prenant dans ses bras. C'était un accident, je ne voulais pas l'abîmer...

– Je sais, répliquai-je. C'est un souvenir, il dormait là-haut paisiblement, je n'aurais pas dû le réveiller.

– J'ignore de quoi tu me parles, mais cela semble te causer tellement de peine. Si tu voulais te confier, nous pourrions aller marcher un peu plus loin, ce serait bien de passer un moment ensemble, rien que toi et moi. Depuis que nous sommes sur cette plage, j'ai l'impression de t'avoir perdu, tu es ailleurs.

J'ai embrassé Sophie et me suis excusé. Nous avons marché le long de la mer, seuls, côte à côte, jusqu'à ce que Luc nous rejoigne.

Nous l'avons vu arriver de loin, il criait de toutes ses forces pour que nous l'attendions.

Luc est mon meilleur ami ; ce matin-là, j'en ai eu la preuve, une fois de plus.

– Tu te souviens de la fois où tu t'étais cassé la figure à vélo ? me dit-il en s'approchant, mains dans le dos. Bon, je vais te rafraîchir la mémoire, ingrat que tu es. Ta mère t'avait acheté une bicyclette jaune. J'avais pris mon vieux vélo et nous nous étions attaqués à la côte derrière le cimetière. Quand nous sommes passés devant les grilles, je n'ai jamais su si tu voulais vérifier qu'un fantôme ne nous suivait pas mais tu as tourné la tête et tu t'es payé un nid-de-poule. Tu as fait un magnifique soleil et tu t'es étalé de tout ton long.

– Où veux-tu en venir ?

– Tais-toi et tu verras. Ta roue avant était voilée et ça te mettait dans un état encore pire que celui de tes genoux sanguinolents. Tu n'arrêtais pas de répéter que ta mère allait te tuer. Ton vélo n'avait pas trois jours et si tu le rapportais comme ça chez toi, elle ne te le pardonnerait pas. Elle avait dû faire des heures supplémentaires pour te le payer, c'était une catastrophe.

Le souvenir de cet après-midi me revint en mémoire. Luc avait sorti une clé de la petite trousse à outils accrochée à sa selle et avait échangé nos roues. Celle de son vélo s'ajustait à ma bicyclette. Quand il avait eu fini de la remonter, il me dit que ma mère n'y verrait que du feu. Luc avait fait réparer ma roue par son père et le surlendemain nous avions procédé à l'échange. Ma mère n'y avait vu que du feu.

– Enfin, ça te revient ! Bon, mais je te préviens, c'est la dernière fois, faut que tu te décides à grandir quand même.

Luc fit apparaître ce qu'il tenait caché derrière son dos depuis un moment, il me tendit un cerf-volant tout neuf.

– C'est tout ce que j'ai trouvé au bazar de la plage, et tu as de la chance, le type m'a dit que c'était son dernier, ils ont arrêté d'en vendre depuis longtemps. C'est une chouette, pas un aigle, mais ne fais pas ton difficile, c'est aussi un genre d'oiseau et en plus, ça vole de nuit. Tu es content maintenant ?

Sophie l'a assemblé sur le sable, elle m'a tendu la ficelle et m'a fait signe de le faire décoller. Je me sentais un peu ridicule, mais quand Luc a croisé les bras en tapant du pied, j'ai compris que j'étais mis à l'épreuve, alors je me suis élancé et le cerf-volant s'est élevé dans le ciel.

Celui-là volait parfaitement. Le maniement du cerf-volant, c'est comme le vélo, ça ne s'oublie pas, même si on n'a pas pratiqué depuis des années.

Chaque fois que la chouette faisait des « S » et des « 8 » parfaits, Sophie applaudissait et chaque fois, j'avais l'impression de lui mentir un peu.

Luc avait sifflé entre ses dents, il me fit signe de regarder vers la jetée. Nos quinze pensionnaires avaient pris place sur le muret en pierre et admiraient les pirouettes aériennes de la chouette.

Nous sommes rentrés à l'hôtel avec eux, l'heure du retour approchait. Je profitai de ce que Luc et Sophie étaient montés faire leurs sacs pour régler la note et le petit supplément pour le ravitaillement de la cuisine dévalisée le matin même.

La patronne encaissa son dû sans broncher et me demanda à voix basse si je pouvais lui obtenir la recette des galettes. Elle l'avait réclamée à Luc, sans succès. Je promis d'essayer de lui arracher son secret et de la lui poster.

Le vieux monsieur qui se tenait droit comme un piquet dans la salle à manger pendant notre petit déjeuner, celui en qui Luc avait vu l'incarnation de Marquès quand il aurait atteint cet âge, vint vers moi.

– Tu t'es bien débrouillé sur la plage, mon garçon, me dit-il.

Je le remerciai de son compliment.

– Je sais de quoi je parle, des cerfs-volants, j'en ai vendu toute ma vie. Dans le temps, je tenais le bazar de la plage. Qu'est-ce que tu as à me regarder comme ça, on dirait que tu as vu un fantôme ?

– Si je vous disais qu'il y a longtemps vous m'en avez offert un, vous le croiriez ?

– Je crois que ta demoiselle a besoin d'aide, me dit le vieux monsieur en me désignant l'escalier.

Sophie descendait les marches, portant son sac et le mien. Je les lui ôtai des mains et allai les déposer dans le coffre de la voiture. Luc s'installa au volant, Sophie à ses côtés.

– On y va ? me dit-elle.

– Attendez-moi une minute, je reviens tout de suite.

Je me précipitai vers l'hôtel, le vieux monsieur avait regagné son fauteuil dans le salon et regardait la télévision.

– La petite fille muette, vous vous souvenez d'elle ?

Le klaxon de la voiture se fit entendre à trois reprises.

– J'ai l'impression que tes amis sont pressés. Revenez nous voir un jour, nous serons tous heureux de vous accueillir, surtout ton copain, ses galettes ce matin étaient exceptionnelles.

Le bruit du klaxon se fit continu et je m'en allai à contrecœur, me faisant la promesse, pour la deuxième fois, de revenir un jour dans cette petite station balnéaire.

*

Sophie fredonnait des mélodies sur lesquelles Luc plaquait des paroles en chantant à tue-tête. Vingt fois il me reprocha de ne pas me joindre à eux, vingt fois Sophie lui dit de me laisser tranquille. Après quatre heures de route, Luc s'inquiéta du brusque plongeon de la jauge d'essence, l'aiguille avait piqué d'un coup sur la gauche.

– De deux choses l'une, annonça-t-il d'un ton grave, soit le témoin du réservoir est mort, soit nous allons bientôt devoir pousser.

Vingt kilomètres plus tard, le moteur toussota avant de s'étouffer à quelques mètres de la pompe à essence. En sortant de la voiture, Luc tapota sur le capot et félicita le break de sa prouesse.

Je remplissais le réservoir, Luc était allé acheter de l'eau et des biscuits, Sophie s'approcha et me prit par la taille.

– Tu es plutôt sexy en pompiste, me dit-elle.

Elle m'embrassa dans la nuque avant de rejoindre Luc dans la boutique.

– Tu veux un café ? me demanda-t-elle en se retournant.

Et, avant que j'aie eu le temps de lui répondre, elle me sourit et ajouta :

– Quand tu voudras me dire ce qui ne va pas, je serai là, tout près de toi, même si tu ne t'en rends plus compte.

Nous rencontrâmes la pluie peu de temps après être repartis. Les essuie-glaces peinaient à la chasser et leur chuintement sur le pare-brise avait quelque chose de lancinant. Nous arrivâmes en ville bien après la nuit tombée. Sophie dormait profondément et Luc hésitait à la réveiller.

– Qu'est-ce qu'on fait ? chuchota-t-il.

– Je ne sais pas ; on se gare et on attend qu'elle se réveille.

– Ramenez-moi chez moi, au lieu de dire des bêtises, murmura Sophie les yeux fermés.

Mais Luc ne l'entendait pas ainsi, il prit le chemin de notre studio. Pas question, décréta-t-il, de céder à la sinistrose des dimanches soir, et par temps de pluie il fallait redoubler de vigilance. Nous allions tous les trois nous attaquer une fois pour toutes à la morosité des fins de week-end. Il nous promettait de préparer des pâtes comme nous n'en avions jamais mangé.

Sophie se redressa et se frotta le visage.

– Va pour les pâtes et après, vous me raccompagnez.

Nous avons dîné assis en tailleur sur le tapis. Luc s'est endormi sur mon lit et Sophie et moi avons fini la nuit chez elle.

Lorsque je me suis réveillé, elle était déjà partie. J'ai trouvé un petit mot dans la cuisine, posé contre un verre à côté d'un couvert de petit déjeuner.

Merci de m'avoir emmenée voir la mer, merci pour ces deux jours improvisés. Je voudrais savoir te mentir, te dire que je suis heureuse et que tu me croies, mais je n'y arrive pas. Ce qui me fait le plus mal c'est de te voir si seul quand tu es avec moi. Je ne t'en veux pas, mais je n'ai rien fait pour mériter de rester derrière la porte. Je te trouvais plus séduisant quand nous étions amis. Je ne veux pas perdre mon meilleur ami, j'ai trop besoin de sa tendresse, de sa sincérité. Il faut que je te retrouve tel que tu étais.

Plus tard, à la cafétéria, tu me raconteras tes journées, je te raconterai les miennes et notre complicité renaîtra, là où nous l'avions abandonnée. Un peu plus tard... nous y arriverons, tu verras.

En partant, laisse la clé sur la table.

Je t'embrasse,

Sophie.

J'ai replié le mot et l'ai mis dans ma poche. J'ai récupéré dans sa commode les quelques affaires qui m'appartenaient, sauf l'une de mes chemises sur laquelle elle avait épinglé une petite note : « Pas celle-là, elle est à moi, maintenant. »

J'ai laissé la clé de son studio où elle me l'avait demandé et je suis parti, persuadé d'être le dernier des imbéciles ou peut-être le premier.

*

Le soir, j'ai tenté de joindre ma mère au téléphone, j'avais besoin de lui parler, de me confier à elle, d'entendre sa voix. Le téléphone a sonné dans le vide. Elle m'avait pourtant dit qu'elle partait en voyage. J'avais oublié la date de son retour.

Trois semaines s'étaient écoulées. Lorsque nous nous croisions à l'hôpital, Sophie et moi ressentions une certaine gêne, même si nous faisions comme si de rien n'était. Un fou rire idiot fit renaître notre amitié. Nous nous trouvions dans le jardin de l'hôpital, profitant tous deux d'un moment de répit, Sophie me racontait une mésaventure arrivée à Luc. Deux blessés avaient été amenés en même temps aux Urgences. Luc faisait la course avec son brancard pour conduire le sien en premier au bloc opératoire. Au détour d'un couloir, il avait dû faire un brusque écart pour éviter l'infirmière en chef, et le patient avait glissé de la civière. Luc s'était jeté à terre pour amortir sa chute, opération réussie, mais le brancard lui avait roulé sur la figure. Il avait hérité de trois points de suture au front.

– Ton meilleur ami a été très courageux. Bien plus que toi le jour où tu t'es ouvert le doigt avec un scalpel en salle de dissection, avait-elle ajouté.

J'avais oublié cet épisode de notre première année d'études.

Je compris enfin comment Luc s'était fait cette blessure que j'avais constatée la veille. Il avait voulu me faire croire à une histoire de portes battantes prises en pleine figure. Sophie me fit jurer de ne pas lui révéler qu'elle avait vendu la mèche. Après tout, puisque c'était elle qui l'avait recousu, il était de fait son patient et elle était tenue au secret médical.

Je promis de ne pas la trahir. Sophie se leva, elle devait reprendre son service, je la rappelai pour lui faire à mon tour une confidence au sujet de Luc.

– Tu ne lui es pas insensible, tu sais ?

– Je sais, me dit-elle en s'éloignant.

Le soleil diffusait une douce chaleur, le temps de ma pose n'était pas encore totalement passé, je décidai de m'attarder un peu.

La petite fille à la marelle entra dans le jardin. Derrière les vitres du couloir, ses parents s'entretenaient avec le chef du service d'hématologie. La gamine avança vers moi, à sa façon de faire un pas en avant, un pas de travers, je devinai qu'elle cherchait à attirer mon attention. Quelque chose lui brûlait les lèvres.

– Je suis guérie, me confia-t-elle fièrement.

Combien de fois avais-je vu cette petite fille jouer dans le jardin de l'hôpital sans jamais me soucier du mal dont elle souffrait ?

– Je vais pouvoir rentrer chez moi.

– J'en suis très heureux pour toi, même si tu vas un peu me manquer. J'avais pris l'habitude de te voir jouer dans ce jardin.

– Et toi, tu vas bientôt pouvoir rentrer chez toi aussi ?

Juste après m'avoir dit cela, la petite fille éclata de rire, un rire au timbre de violoncelle.

Il est des petites choses que l'on laisse derrière soi, des moments de vie ancrés dans la poussière du temps. On peut tenter de les ignorer, mais ces petits riens mis bout à bout forment une chaîne qui vous raccroche au passé.

Luc avait préparé à dîner. Il m'attendait, affalé dans le fauteuil. En arrivant dans le studio, je me penchai sur sa blessure.

– Ça va, arrête de jouer au toubib, je sais que tu sais, dit-il en repoussant ma main. Alors vas-y, je te laisse cinq minutes pour te moquer de moi et après on passe à autre chose.

– La voiture qu'on a prise pour partir en week-end, tu m'aiderais à la louer ?

– Tu vas où ?

– Je voudrais retourner au bord de la mer.

– Tu as faim ?

– Oui.

– Tant mieux, parce que si tu veux que je te fasse quelque chose à manger, tu vas me dire pourquoi tu veux retourner là-bas. Si tu préfères jouer les grands mystérieux, la station-service est encore ouverte. À cette heure-ci, avec un peu de chance, tu trouveras un sandwich.

– Qu'est-ce que tu veux que je te dise ?

– Ce qui t'est arrivé sur cette plage, parce que mon meilleur ami me manque. Tu as toujours été un peu ailleurs. J'en ai toujours pris mon parti, mais là, je t'assure, c'est plus supportable. Tu avais la fille la plus formidable qui soit et tu as été tellement crétin que, depuis ce fameux week-end, elle aussi est ailleurs.

– Tu te souviens de ces vacances où ma mère m'avait emmené au bord de la mer ?

– Oui.

– Tu te souviens de Cléa ?

– Je me souviens qu'à la rentrée tu me disais que désormais tu te moquais bien d'Élisabeth, que tu avais rencontré l'âme sœur, qu'elle serait un jour la femme de ta vie. Mais nous étions des gosses, tu t'en souviens aussi ? Tu crois qu'elle t'a attendu dans cette station balnéaire ? Reviens sur terre, mon vieux. Tu t'es conduit comme un imbécile avec Sophie.

– Ça doit t'arranger, non ?

– Cette pique est supposée vouloir dire quelque chose ?

– Je te demandais juste un tuyau pour louer une voiture.

– Tu la trouveras vendredi soir garée dans la rue, je te laisserai les clés sur le bureau. Il y a un gratin dans le frigo, tu n'as plus qu'à le réchauffer. Bonne nuit, je vais faire un tour.

La porte du studio se referma. Je m'approchai de la fenêtre pour appeler Luc et m'excuser. J'eus beau crier son nom, il ne se retourna pas et disparut au coin de la rue.

*

Je m'étais arrangé pour prendre ma garde le vendredi afin d'être libéré dès les premières heures du samedi. Je rentrai chez moi au petit matin et trouvai les clés du break, comme Luc me l'avait promis.

Le temps de me glisser sous la douche et de me changer, je pris la route en fin de matinée. Je ne m'arrêtai que pour refaire le plein. La jauge avait bel et bien rendu l'âme et je devais faire des calculs de consommation moyenne afin d'estimer le moment où il faudrait ravitailler la voiture en essence. Au moins, cet exercice m'occupait. Depuis que j'étais parti, j'avais la désagréable sensation de sentir les ombres de Luc et de Sophie sur la banquette arrière.

J'arrivai devant la pension de famille en début d'après-midi. La gérante fut étonnée de ma visite. Elle était désolée, la chambre que nous occupions avait trouvé un nouveau locataire et elle n'en avait aucune autre de libre. Je n'avais pas l'intention de passer la nuit ici. Je lui expliquai être revenu le temps de m'entretenir avec l'un de ses pensionnaires, un vieux monsieur qui se tenait très droit et à qui je voulais poser une question.

– Vous avez fait toute cette route pour lui poser une question ! Vous savez que nous avons le téléphone ? M. Morton est resté debout toute sa vie derrière le comptoir de son bazar, voilà pourquoi il se tient toujours si droit. Vous le trouverez dans le salon, il y passe la plupart de ses après-midi, il ne sort presque jamais.

Je remerciai la gérante, m'approchai de M. Morton et m'assis devant lui.

– Bonjour, jeune homme, que puis-je faire pour vous ?

– Vous ne vous souvenez pas de moi ? Je suis venu il y a quelque temps, en compagnie d'une jeune femme et de mon meilleur ami.

– Ça ne me dit rien, quand cela, dites-vous ?

– Il y a trois semaines, Luc vous avait cuisiné des galettes pour le petit déjeuner, vous en aviez raffolé.

– J'aime beaucoup les galettes, enfin, j'aime toutes les sucreries. Vous êtes qui, déjà ?

– Souvenez-vous, je faisais voler un cerf-volant sur la plage, vous m'avez dit que je me débrouillais plutôt bien.

– Des cerfs-volants, j'en vendais dans le temps, vous savez. C'est moi qui tenais le bazar de la plage. Je vendais aussi des tas d'autres articles, des bouées, des cannes à pêche... y a rien à pêcher par ici mais j'en vendais quand même, des crèmes solaires aussi. J'en ai vu des baigneurs dans ma vie, de toutes sortes... Bonjour, jeune homme, qu'est-ce que je peux faire pour vous ?

– Lorsque j'étais enfant, je suis venu passer une dizaine de jours ici. Une petite fille jouait avec moi, je sais qu'elle venait tous les étés, ce n'était pas une petite fille comme les autres, elle était sourde et muette.

– Je vendais aussi des parasols et des cartes postales, on m'en chapardait beaucoup trop alors j'ai arrêté les cartes postales. Je m'en apercevais parce qu'à la fin de la semaine j'avais toujours des timbres en trop. Ce sont les gosses qui me les volaient... Bonjour, jeune homme, que puis-je faire pour vous ?

Je désespérais d'arriver à mes fins, quand une dame d'un certain âge s'approcha.

– Vous n'en tirerez rien aujourd'hui, ce n'est pas un bon jour pour lui. Hier il était plus lucide, ça va ça vient, il n'a plus toute sa tête. La petite fille, je sais de qui il s'agit, j'ai toute ma mémoire, moi. C'est de la petite Cléa que vous parlez, je la connaissais bien, mais vous savez, elle n'était pas sourde.

Et, devant mon air ahuri, la dame continua.

– Je vous raconterais bien tout ça mais j'ai faim et je n'arrive pas à parler l'estomac vide. Si vous m'emmeniez prendre un thé à la pâtisserie, nous pourrions discuter. Voulez-vous que j'aille chercher ma gabardine ?

J'aidai la vieille dame à mettre son manteau et nous marchâmes à son pas jusqu'à la pâtisserie. Elle s'installa en terrasse et me demanda une cigarette. Je n'en avais pas. Elle croisa les bras et regarda fixement le bureau de tabac sur le trottoir d'en face.

– Des blondes feront l'affaire, me dit-elle.

Je revins avec un paquet et des allumettes.

– Je serai médecin à la fin de l'année, lui dis-je en les lui remettant. Si mes professeurs me voyaient vous donner ça, j'en prendrais pour mon grade.

– Si vos professeurs perdaient leur temps à surveiller ce que nous faisons dans ce trou perdu, je vous recommanderais vivement de changer d'école, répondit-elle en faisant craquer une allumette. Quant au temps, pour ce qui m'en reste, je me demande bien pourquoi on fait tout pour nous emmerder. Interdit de boire, interdit de fumer, interdit de manger trop gras ou trop sucré, à force de vouloir nous faire vivre plus longtemps, c'est le goût de vivre qu'ils vont nous enlever, tous ces savants qui pensent à notre place. Qu'est-ce qu'on était libre quand j'avais votre âge, libre de se tuer plus vite certes, mais de vivre aussi. Alors je vais profiter de votre charmante compagnie pour défier la médecine, et si vous n'y voyez pas trop d'inconvénients je ne serais pas contre un bon baba au rhum.

Je commandai un baba au rhum, un éclair au café et deux chocolats chauds.

– Ah la petite Cléa, tu parles si je m'en souviens. Je tenais la librairie à l'époque. Vous voyez, les commerçants, c'est comme ça que ça finit. On sert les gens pendant des années et le jour de la retraite plus personne ne vient vous voir. J'en ai donné des bonjours, des mercis, des au revoir. Depuis deux ans que j'ai lâché mon comptoir, pas une seule visite. Dans un bled de cette taille... Vous croyez qu'ils pensent que je suis partie sur la lune ? La petite Cléa, elle était bien gentille. J'en ai vu aussi des gosses mal élevés ; remarquez, les enfants mal élevés ne le sont jamais autant que leurs parents. Elle, j'aurais pu lui pardonner de ne pas dire merci, au moins elle avait une bonne excuse, eh bien figurez-vous qu'elle l'écrivait. Elle venait souvent à la librairie, elle regardait les livres, en choisissait un et s'asseyait dans un coin pour le lire. Mon mari l'aimait bien cette petite, il lui mettait des livres de côté, rien que pour elle. Quand elle repartait, elle sortait un petit papier de sa poche où elle avait griffonné un « Merci madame, merci monsieur ». Incroyable, d'imaginer qu'elle n'était ni vraiment sourde ni muette. Eh oui, la petite Cléa était atteinte d'une forme d'autisme, c'est dans sa tête que ça bloquait. Elle entendait tout, seulement les mots ne voulaient pas sortir, et savez-vous ce qui l'a libérée de sa prison ? La musique, figurez-vous. C'est une histoire belle et triste à la fois.

« Vous vous demandez si je n'ai pas inventé tout ça pour que vous m'offriez un paquet de cigarettes et un baba au rhum ? Rassurez-vous, je n'en suis pas là, tout du moins pas encore. Dans quelques années peut-être, mais si cela devait arriver j'aimerais mieux que Dieu m'ait ôté la vie avant. Je ne veux pas devenir comme le marchand du bazar. Oh lui, ce n'est pas sa faute, moi aussi j'aurais perdu la tête à sa place. Quand vous avez trimé toute votre vie pour élever vos enfants et qu'aucun d'eux ne vient jamais vous voir ou ne trouve le temps de vous appeler, il y a de quoi vous rendre fou, de quoi vouloir effacer tous les souvenirs de votre mémoire. Mais c'est la petite Cléa qui vous préoccupe, pas le marchand du bazar. Tout à l'heure, je vous parlais de l'ingratitude des clients, de ces gens qu'on a servis toute une vie et qui font semblant de ne pas vous reconnaître au marché, eh bien, je n'aurais pas dû généraliser. Le jour où on a porté mon mari en terre, elle était là. Parfaitement, comme je vous le dis, elle est venue toute seule. Je ne l'avais pas reconnue, à ma décharge elle a beaucoup grandi, comme vous d'ailleurs. Je sais qui vous êtes vous aussi, le petit garçon au cerf-volant ! Je le sais parce que chaque année, dès que la petite Cléa arrivait dans la station, elle venait me voir et me tendait un papier pour me demander si le garçon au cerf-volant était revenu. C'est bien vous, non ? Le jour de l'enterrement de mon mari, elle se tenait à l'arrière du cortège, toute fine, toute discrète. Je me demandais qui elle était, alors imaginez ma surprise quand elle s'est penchée à mon oreille et m'a dit : « C'est moi, c'est Cléa, je suis désolée, madame Pouchard, je l'aimais beaucoup votre mari, il a été si gentil avec moi. » J'avais déjà les larmes aux yeux, eh bien ça les a fait monter d'un cran ; tiens, rien que de vous en reparler ça m'émeut encore.

Mme Pouchard s'essuya les yeux d'un revers de la main, je lui tendis un mouchoir.

– Elle m'a prise dans ses bras et puis elle est repartie. Trois cents kilomètres de route à l'aller, trois cents au retour, juste pour venir rendre hommage à mon époux. Elle est concertiste, votre Cléa. Ah, je raconte tout dans le désordre, je suis désolée. Attendez, laissez-moi reprendre là où j'en étais. L'été où vous n'êtes plus revenu, la petite Cléa a demandé à ses parents quelque chose de terrible, elle voulait se mettre au violoncelle. Imaginez la tête de sa mère ! Vous rendez-vous compte du chagrin que ça lui a fait ? Votre enfant sourde qui veut devenir musicienne, c'est comme si vous aviez mis au monde un cul-de-jatte qui voudrait être funambule. À la librairie, elle ne choisissait plus que des livres sur la musique, et chaque fois que ses parents venaient la chercher, ça les chamboulait un peu plus. C'est le papa de Cléa qui a trouvé le courage, il a dit à sa femme : « Si c'est ce qu'elle veut, on trouvera un moyen d'y arriver. » Ils l'ont inscrite dans une école spécialisée, avec un professeur qui fait écouter les vibrations de la musique aux enfants en leur mettant des écouteurs sur le cou. Ah, je vous demande bien où s'arrêtera le progrès. D'habitude, je suis plutôt contre, mais là, je dois reconnaître que c'était utile. Le professeur de Cléa a commencé à lui faire apprendre les notes sur les partitions, et c'est là que le miracle s'est produit. Cléa, qui n'avait jamais répété un mot correctement, a prononcé « *Do, ré, mi, fa, sol, la, si, do* » tout à fait normalement. La gamme lui est sortie de la bouche comme un train d'un tunnel. Et je peux vous dire que ce sont ses parents qui pour le coup en sont restés muets. Cléa apprenait la musique, elle se mettait à chanter et les paroles se sont greffées aux notes. C'est le violoncelle qui l'a sortie de sa prison, une évasion au violoncelle, c'est quand même pas donné à tout le monde !

Mme Pouchard a tourné sa cuillère dans son chocolat chaud, elle a trempé ses lèvres dans sa tasse et l'a reposée. Nous nous sommes tus quelques instants, tous deux perdus dans nos souvenirs.

– Elle est entrée au Conservatoire national, c'est là qu'elle étudie. Si vous voulez la retrouver, à votre place je commencerais par aller voir là-bas.

J'ai fait une provision de sablés et de chocolats pour Mme Pouchard, nous avons traversé la rue pour lui acheter une cartouche de cigarettes et je l'ai raccompagnée à sa pension de famille. Je lui ai promis de revenir la voir aux beaux jours et de l'emmener se promener sur la plage. Elle m'a conseillé d'être prudent sur la route et de mettre ma ceinture. À mon âge, a-t-elle ajouté, ça valait quand même la peine de faire un peu attention à soi.

Je suis reparti à la tombée du jour et j'ai roulé une bonne partie de la nuit, je suis arrivé juste à temps pour rendre la voiture et prendre mon tour de garde.

*

De retour en ville, j'ai troqué ma blouse blanche contre l'habit de détective. Le conservatoire ne se situait pas tout près de l'hôpital mais je pouvais y aller en métro, il n'y avait que deux changements pour arriver place de l'Opéra. Le conservatoire se trouvait juste derrière. Le problème, c'était mes horaires. Les examens de fin de semestre approchaient : entre les révisions et mes gardes, les seuls moments de liberté dont je disposais étaient bien trop tard. Je dus attendre dix jours pour pouvoir m'y rendre avant l'heure de la fermeture, et les portes fermaient quand j'y arrivai, essoufflé d'avoir couru à perdre haleine dans les couloirs du métro. Le gardien me pria de revenir le lendemain, je le suppliai de me laisser entrer, je devais absolument rejoindre le secrétariat.

– Il n'y a plus personne à cette heure-là, si c'est pour déposer un dossier d'admission, il faudra revenir avant 17 heures.

Je lui avouai que je n'étais pas venu pour cela. J'étais étudiant en médecine et ma présence ici n'avait d'autre raison que l'espoir de retrouver une jeune femme pour qui la musique comptait beaucoup. Le conservatoire était la seule piste dont je disposais, mais il fallait que quelqu'un veuille bien me renseigner.

– Vous êtes en quelle année de médecine ? me demanda le gardien.

– À quelques mois de mon internat.

– À quelques mois de son internat, on est assez qualifié pour jeter un coup d'œil à une gorge ? Depuis deux jours, la mienne me brûle quand j'avale et je n'ai pas le temps ni les moyens d'aller voir un médecin.

J'acceptai bien volontiers de l'ausculter. Il me laissa entrer et la consultation se fit dans son bureau. En moins d'une minute je diagnostiquai une angine. Je lui proposai de passer me voir le lendemain aux Urgences, je lui remettrais une ordonnance et il pourrait aller retirer des antibiotiques à la pharmacie de l'hôpital. Ce service rendu, le gardien me demanda le nom de celle que je cherchais.

– Cléa, lui dis-je.

– Cléa comment ?

– Je ne connais que son prénom.

– Vous plaisantez, j'espère.

L'expression de mon visage indiquait le contraire.

– Écoutez, docteur, j'aimerais beaucoup vous aider à mon tour mais comprenez que cet établissement accueille deux cents élèves à chaque rentrée, certains ne restent que quelques mois, d'autres y poursuivent leurs études plusieurs années, et quelques-uns entrent même dans les différentes formations musicales qui dépendent du conservatoire. Ne serait-ce que sur les cinq dernières années, près de mille personnes ont été recensées dans nos registres, et le classement ne se fait pas par les prénoms mais par les noms de famille. Ce serait un travail de fourmi que de retrouver votre... comment s'appelle-t-elle déjà ?

– Cléa.

– Oui, mais hélas, Cléa sans nom... je ne peux rien faire pour vous, j'en suis désolé.

Je repartais aussi dépité que j'avais pu être heureux quand le gardien avait consenti à m'ouvrir sa porte.

Cléa sans nom. Voilà ce que tu étais dans ma vie, une petite fille de mon enfance, devenue femme aujourd'hui, un souvenir complice, un vœu que le temps n'avait pas exaucé. En marchant dans les couloirs du métro je te revoyais courir devant moi sur la digue, tirant ce cerf-volant qui tournoyait dans les airs ; Cléa sans nom, mais qui faisait des « 8 » et des « S » parfaits dans le ciel. La petite fille au rire de violoncelle, dont l'ombre m'avait appelé à l'aide sans trahir son secret ; Cléa sans nom mais qui m'avait écrit : *Je t'ai attendu quatre étés, tu n'as pas tenu ta promesse, tu n'es jamais revenu.*

De retour chez moi, je retrouvai Luc qui faisait toujours la tête. Il me demanda pourquoi j'avais une mine aussi blafarde. Je lui racontai ma visite au conservatoire et pourquoi j'avais fait chou blanc.

– Tu vas rater tes examens si tu continues. Tu ne

penses plus qu'à cela, qu'à elle. Tu perds la boule, à poursuivre un fantôme, mon vieux.

Je l'accusai d'exagérer.

– J'ai fait un peu de ménage pendant que tu allais perdre ton temps. Tu sais combien de feuilles j'ai trouvées dans la corbeille à papier ? Des dizaines, et ce ne sont ni des résumés de cours, ni des formules de chimie mais des visages dessinés, toujours le même. Tu as un joli coup de crayon, tu ferais mieux d'utiliser tes talents pour faire des croquis d'anatomie. As-tu au moins pensé à dire à ce gardien que ta Cléa étudiait le violoncelle ?

– Non, je n'y ai pas pensé.

– Et abruti en plus ! grommela Luc en se laissant choir dans le fauteuil.

– Comment as-tu appris que Cléa jouait du violoncelle, je ne te l'ai jamais dit ?

– Dix jours que je suis réveillé par Rostropovitch, que je dîne avec Rostropovitch et me couche en entendant du Rostropovitch. On ne se parle plus, le violoncelle a remplacé nos conversations, et tu me demandes comment j'ai deviné ! Et quand bien même tu retrouverais cette Cléa, qui te dit qu'elle te reconnaîtrait ?

– Si elle ne me reconnaissait pas, je me résignerais.

Luc me regarda un instant et, soudain, tapa du poing sur le bureau.

– Jure-le-moi ! Jure-le sur ma tête, non, mieux encore, jure-moi sur notre amitié que si vous vous croisiez et qu'elle ne te reconnaissait pas tu tirerais un trait sur cette fille une fois pour toutes et que tu redeviendrais immédiatement celui que j'ai connu.

J'acquiesçai d'un mouvement de tête.

– Je ne travaille pas demain, je passerai à l'hôpital chercher les antibiotiques et j'irai les porter de ta part au gardien du conservatoire, j'en profiterai pour essayer d'en savoir plus, promit Luc.

Je le remerciai et lui proposai de l'emmener dîner. Nos moyens étaient restreints, mais au restaurant, aussi modeste soit-il, nous n'entendrions plus le violoncelle.

Nous avons échoué dans un bistrot de quartier. Nous sommes rentrés un peu plus qu'éméchés et, alors que Luc s'asseyait sur un banc parce que la tête lui tournait, il me confia son embarras. Il avait fait une gaffe, me dit-il, jurant aussitôt qu'il ne l'avait pas fait exprès.

– Quel genre de gaffe ?

– J'ai déjeuné avant-hier à la cafétéria, Sophie s'y trouvait et je me suis assis à sa table.

– Et ?

– Et elle m'a demandé comment tu allais.

– Qu'as-tu répondu ?

– Que tu allais aussi mal que possible. Et, comme elle s'inquiétait, j'ai voulu la rassurer. Je crois avoir laissé échapper un mot ou deux sur tes préoccupations.

– Tu ne lui as tout de même pas parlé de Cléa ?

– Je n'ai pas donné son nom, mais je me suis très vite rendu compte que j'en avais trop dit. J'ai pu laisser entendre que tu t'étais mis en tête de retrouver ton âme sœur. J'ai tout de suite ajouté, en rigolant, que tu avais douze ans quand tu l'avais rencontrée.

– Comment Sophie a-t-elle réagi ?

– Comme Sophie réagit à tout, tu es censé la connaître mieux que moi. Elle a dit qu'elle espérait que tu serais heureux, que tu le méritais, que tu étais un type formidable. Je suis désolé, je n'aurais pas dû. Mais ne va pas t'imaginer que j'ai fait cette bourde avec une idée derrière la tête. Je n'ai pas cette intelligence-là. J'étais juste en colère contre toi et j'ai baissé ma garde.

– Pourquoi étais-tu en colère contre moi ?

– Parce que Sophie était sincère en me disant cela.

J'ai pris Luc sous mon épaule pour l'aider à remonter l'escalier. Je l'ai couché dans mon lit, il était ivre mort, et je me suis allongé sur sa couette sous la fenêtre de notre studio.

*

Luc tint sa promesse. Le lendemain de notre beuverie, en dépit d'une gueule de bois persistante, il vint me voir à l'hôpital, récupéra les antibiotiques à la pharmacie et se rendit au conservatoire. Le don qu'a Luc pour s'attirer la sympathie de ceux dont il espère quelque chose reste un mystère pour moi. Personne ne résiste à sa façon de vous enjôler.

Luc remit ses médicaments au gardien et le fit parler de son métier, le poussa à lui raconter quelques anecdotes sur sa vie et obtint en une heure la possibilité de consulter à loisir les registres du conservatoire. Le gardien l'installa à une table et

Luc procéda à ses recherches avec la rigueur d'un enquêteur professionnel.

Il s'attaqua aux cahiers d'admission des deux années où Cléa s'était le plus vraisemblablement inscrite. Il en étudia chaque page, suivant minutieusement les listes d'élèves à l'aide d'une règle qu'il faisait glisser sur le papier. Au milieu de l'après-midi, il s'arrêta sur une ligne où figurait le nom de Cléa Norman, première année section classique, instrument maître, le violoncelle.

Le gardien lui permit de consulter son dossier et Luc promit de venir le ravitailler en médicaments si sa gorge le faisait toujours souffrir dans quelques jours.

*

La soirée commençait et je profitai d'un moment de calme aux Urgences pour aller me restaurer dans le petit café en face de l'hôpital, quand Luc apparut. Il s'installa à ma table, prit le menu et commanda entrée, plat et dessert avant même de me dire bonsoir.

– C'est toi qui m'invites, dit-il en rendant la carte à la serveuse.

– En quel honneur ? lui demandai-je.

– Parce que des amis comme moi, tu n'es pas près d'en trouver d'autres, crois-moi.

– Tu as découvert quelque chose ?

– Si je te disais que j'ai deux places pour le match de samedi, j'imagine que tu t'en moquerais complètement ? Ça tombe bien, parce que samedi, ta Cléa joue au théâtre de la mairie. Dvorak, concerto pour violoncelle suivi de la symphonie nº 8. J'ai réussi à t'obtenir une place au troisième rang, tu pourras la voir de près. Ne m'en veux pas de ne pas t'accompagner, j'ai eu mon compte de violoncelle pour les cent ans à venir

*

J'ai cherché dans mon placard comment m'habiller pour le soir. Il m'avait suffi d'en ouvrir la porte pour faire le tour de mes affaires. Je n'allais quand même pas me rendre à un concert en pantalon vert et blouse blanche.

*

La vendeuse du grand magasin me conseilla une chemise bleue et une veste sombre pour aller avec mon pantalon de flanelle.

Le théâtre de la mairie était une petite salle : cent fauteuils disposés en hémicycle, une scène d'une vingtaine de mètres de long à peine. La formation qui jouait ce soir-là comptait autant de musiciens. Le chef d'orchestre salua le public sous les applaudissements, les musiciens entrèrent en groupe par le côté droit des coulisses. Mon cœur se mit à battre un peu plus fort, je le sentais tambouriner jusqu'à mes tempes. Une minute à peine avait suffi pour que chacun prenne sa place, trop vite pour discerner la silhouette de celle que je cherchais.

La salle fut plongée dans le noir, le maître leva sa baguette et les premières notes s'élevèrent. Huit femmes étaient assises au deuxième rang de la formation, un seul visage attira mon attention.

Tu étais telle que je t'avais imaginée, plus femme et bien plus belle encore. Tes cheveux descendaient aux épaules et semblaient te gêner quand tu maniais l'archet de ton violoncelle. Impossible de discerner ta partition au milieu du concert. Puis vint le moment de ton solo, quelques portées seulement, quelques notes que naïvement j'imaginais destinées à moi seul. Une heure s'écoula durant laquelle mes yeux ne te quittèrent jamais. Et quand la salle se leva pour vous applaudir, je fus celui qui cria bravo le plus fort.

J'ai cru que ton regard avait croisé le mien, je te souriais et te faisais maladroitement un petit signe de la main. Tu t'inclinas face au public en même temps que tous tes confrères et le rideau tomba.

J'allai t'attendre, le cœur fébrile, à la sortie des artistes. Au bout de cette impasse je guettais le moment où la porte en fer s'ouvrirait.

Tu apparus dans une robe noire, un foulard rouge nouait ta chevelure. Un homme te tenait par la taille, tu lui souriais. Je n'avais jamais pensé que je pourrais me sentir aussi fragile. Je t'ai vue en compagnie de cet homme, et le regard que tu lui portais était celui que j'aurais rêvé voir dans tes yeux alors que tu me regardais. Il avait l'air si grand à tes côtés, et moi si petit dans cette allée. Si j'avais pu être cet homme, je t'aurais tout donné, mais je n'étais que moi, l'ombre de celui que tu avais aimé alors que nous étions enfants, l'ombre de l'adulte que j'étais devenu.

En arrivant à ma hauteur tu m'as dévisagé. « Nous nous connaissons ? » m'as-tu demandé. Ta voix était claire, telle que je l'entendais quand tu ne pouvais pas parler, celle de ton ombre quand elle m'avait appelé à l'aide, il y avait des années. Je t'ai répondu que j'étais simplement venu t'écouter. Un peu gênée, tu m'as demandé si je voulais un autographe. Je bafouillais, tu as réclamé un stylo à ton ami. Tu as griffonné ton prénom sur une feuille de papier, je t'ai remerciée et tu es partie à son bras. En t'éloignant, tu as laissé échapper que tu avais ton premier fan et cette pensée t'a amusée. Ce rire que j'entendais au bout de l'allée n'avait plus le timbre du violoncelle.

*

Je suis rentré chez moi, Luc m'attendait dans l'entrée de l'immeuble.

– J'étais à la fenêtre, je t'ai vu arriver et à ta tête, je me suis dit que ce serait mieux que tu ne montes pas seul l'escalier. J'imagine que les choses ne se sont pas passées comme tu l'avais espéré. Je suis désolé, mais tu sais, c'était couru d'avance. Ne t'en fais pas, mon vieux. Allez viens, ne reste pas là comme ça, allons marcher, ça te fera du bien. On n'est pas obligés de parler, mais si tu en as envie, je suis là. Demain, tu verras, la douleur sera moins forte, et après-demain, tu n'y penseras même plus, crois-moi, les chagrins d'amour ça fait mal les premiers jours, avec le temps, tout finit par s'arranger, même mal. Viens, mon vieux, ne reste pas là à te lamenter. Demain, tu seras un médecin formidable. Elle ne sait pas à côté de qui elle est passée, mais tu verras, tu la trouveras un jour, la femme de ta vie. Il n'y aura pas que des Élisabeth ou des Cléa, tu mérites bien mieux que ça.

*

J'ai tenu ma promesse à Luc, j'ai tiré un trait sur mon enfance et je me suis consacré à mes études.

Le soir, il arrivait parfois que nous nous retrouvions, Luc, Sophie et moi. Nous révisions ensemble, Sophie et moi notre internat, Luc ses tests de fin de première année.

Nous avons tous les trois réussi nos examens et fêté cela comme il se devait.

Cet été-là, Sophie et moi n'avions pas de vacances. Luc était parti passer deux semaines auprès des siens. Il rentra en pleine forme, avec quelques kilos de plus.

À l'automne, maman vint me voir. Elle me remit une petite valise pleine de chemises neuves, s'excusant de ne pas monter dans mon studio pour y remettre de l'ordre. Les escaliers la fatiguaient, ses genoux la faisaient de plus en plus souffrir. Alors que nous nous promenions sur les berges, je m'inquiétai de la voir s'essouffler. Elle posa sa main sur ma joue et me dit en souriant qu'il fallait que j'accepte l'idée de la voir vieillir.

– Ça t'arrivera aussi un jour, me dit-elle alors que nous terminions de dîner dans son restaurant favori. En attendant, profite de ta jeunesse, si tu savais à quelle vitesse elle fichera le camp.

Et, une fois de plus, elle s'empara de l'addition avant que je n'aie eu le temps de la saisir.

Alors que nous marchions vers son hôtel, elle me parla de la maison. Repeindre chaque pièce occupait ses journées, même si l'énergie qu'elle y dépensait l'épuisait un peu trop à son goût. Elle me confia avoir remis de l'ordre dans le grenier et m'y avoir laissé une boîte qu'elle avait retrouvée. À ma prochaine visite, il faudrait que j'y monte. Je tentai d'en savoir plus mais ma mère resta mystérieuse sur le sujet.

– Tu verras bien le jour où tu viendras, me dit-elle en m'embrassant devant son hôtel.

Le lendemain de ce dîner, je la raccompagnai à la gare. Elle avait eu sa dose de grande ville et préférait écourter son séjour.

*

En amitié, certaines choses ne se disent pas, elles se devinent. Luc et Sophie passaient de plus en plus de temps ensemble. Luc trouvait toujours un prétexte pour l'inviter à nous rejoindre. C'était un peu comme lorsque Élisabeth se rapprochait de Marquès en glissant discrètement de semaine en semaine vers le fond de la classe, à ceci près que, cette fois, je m'en rendais compte. En dehors de ces quelques soirées où il nous faisait la cuisine, je voyais Luc de moins en moins. Mon internat m'accaparait et ses horaires de brancardier ne cessaient de s'allonger pour lui permettre de payer ses études.

Il nous arrivait de nous laisser un mot sur le bureau de la chambre à coucher, souhaitant une bonne journée à l'un ou une bonne nuit à l'autre. Luc rendait souvent visite à notre voisine du dessus. Un jour, il avait entendu un bruit sourd et, redoutant qu'elle soit tombée, il s'était précipité à l'étage supérieur. Alice se portait comme un charme, elle faisait juste un grand ménage, se délestant de tout ce qui appartenait à son passé. Elle envoyait valdinguer à travers la pièce des albums de photos, quantité de dossiers, des souvenirs en tout genre glanés au long d'une existence qu'elle balayait furieusement.

– Je n'emporterai rien de tout ça dans la tombe, avait-elle clamé à Luc, la mine réjouie en lui ouvrant la porte.

Amusé par le désordre qui régnait, Luc avait consacré son après-midi entier à aider notre voisine. Elle remplissait des sacs en plastique et Luc descendait les jeter dans les poubelles de l'immeuble.

– Je ne vais tout de même pas donner la satisfaction à mes enfants de commencer à m'aimer quand je serai morte ! Ils n'avaient qu'à le faire avant !

De cette journée insolite était née entre eux une certaine complicité. Chaque fois que je croisais notre voisine dans l'escalier, je la saluais et elle me répondait de saluer Luc. Luc était conquis par son caractère bien trempé et il lui arrivait de m'abandonner pour aller passer le début de sa soirée avec elle.

*

Noël approchait. J'avais bien essayé d'obtenir quelques jours de congés pour aller rendre visite à ma mère, mais mon chef de service me les avait refusés.

– Dans le mot interne, quelque chose vous échappe ? m'avait-il répondu alors que je lui faisais ma demande. Lorsque vous serez titularisé, vous pourrez rentrer chez vous pendant les fêtes et, comme moi, vous nommerez des internes pour vous suppléer. Patience et persévérance, avait-il ajouté d'un ton à mériter des baffes, vous n'avez plus que quelques années à trimer avant de pouvoir déguster à votre tour de la dinde en famille.

J'avais prévenu maman, qui m'avait aussitôt excusé. Qui mieux qu'elle pouvait comprendre les contraintes de l'internat. A fortiori quand votre chef de clinique est aussi imbu de lui-même qu'arrogant. Comme à chacune de mes colères, ma mère avait trouvé les mots pour m'apaiser.

– Tu te souviens de ce que tu m'avais dit un jour parce que j'étais si triste de n'avoir pu assister à ta remise de prix de fin d'année ?

– Qu'il y aurait une autre cérémonie l'année suivante, répondis-je dans le combiné.

– Il y aura sans nul doute un autre Noël l'année prochaine, mon chéri, et si ton chef est toujours aussi buté, ne t'inquiète pas, nous fêterons Noël en janvier.

À quelques jours des fêtes, Luc préparait sa valise, il y rangeait plus d'affaires qu'à l'accoutumée. Dès que j'avais le dos tourné, il empilait dans son sac pulls, chemises et pantalons, y compris ceux qui n'étaient pas de saison. Je finis par remarquer son manège et son petit air gêné.

– Tu vas où ?

– Je rentre chez moi.

– Et tu as besoin de ce déménagement pour seulement quelques jours de vacances ?

Luc se laissa tomber dans le fauteuil.

– Quelque chose manque à ma vie, me dit-il.

– Qu'est-ce qui te manque ?

– Ma vie !

Il croisa les mains et me regarda fixement avant de poursuivre.

– Je ne suis pas heureux ici, mon vieux. Je croyais qu'en devenant médecin je changerais de condition, que mes parents seraient fiers de moi. Le fils du boulanger qui devient docteur, tu vois la belle histoire ! Seulement voilà, même si je réussissais un jour à être le plus grand des chirurgiens, je n'arriverais jamais à la cheville de mon père. Papa ne fait peut-être que du pain, mais si tu voyais comme ils sont heureux, ceux qui viennent à la boulangerie aux premières heures du matin. Tu te souviens des petits vieux dans cet hôtel de bord de mer où j'avais cuisiné des galettes ? Lui, c'est tous les jours qu'il reproduit ce prodige. C'est un homme modeste et discret, il ne dit pas grand-chose mais ses yeux parlent à sa place. Quand je travaillais avec lui au fournil, nous restions parfois silencieux toute la nuit et pourtant, en pétrissant la farine, côte à côte, on partageait tant de choses. C'est à lui que je veux ressembler. Ce métier qu'il a voulu m'apprendre, c'est celui que je veux faire. Je me suis dit qu'un jour, j'aurais peut-être moi aussi des enfants, je sais que si je suis aussi bon boulanger que mon père, ils pourront être fiers de moi, comme je suis fier de lui. Ne m'en veux pas, mais après Noël, je ne rentrerai pas, j'arrête la médecine. Attends, ne dis rien, je n'ai pas fini, je sais que tu y étais pour quelque chose, que tu avais parlé à mon père. Ce n'est pas lui qui me l'a avoué, mais ma mère. Chaque jour que j'ai passé ici, même quand tu m'emmerdais sérieusement, je t'ai remercié en mon for intérieur de m'avoir donné cette chance d'étudier à la faculté ; grâce à toi, je sais maintenant ce que je ne veux pas faire. Quand tu reviendras au village, je te préparerai des pains au chocolat et des éclairs au café et nous les partagerons comme avant, comme dans le temps. Non, mieux que cela, nous les dégusterons comme demain. Alors ne crois pas que ce soit un adieu, c'est juste un au revoir, mon vieux.

Luc m'a pris dans ses bras. Je crois qu'il pleurait un peu, et je crois que moi aussi. C'est idiot, deux hommes qui sanglotent dans les bras l'un de l'autre. Peut-être pas, finalement, quand ce sont deux amis qui s'aiment comme des frères.

Avant de partir, Luc avait une dernière confidence. Je l'avais aidé à charger le vieux break, il s'était installé au volant et avait refermé sa portière. Puis il avait baissé la vitre pour me dire d'un ton solennel :

– Tu sais, ça m'embête de te demander ça, mais maintenant que les choses sont claires entre Sophie et toi, enfin, je veux dire maintenant qu'elle est sûre que vous n'êtes que des amis, ça t'ennuierait que je la rappelle de temps en temps ? Parce que tu ne t'en es peut-être pas rendu compte, mais au cours de ce fameux week-end au bord de la mer, pendant que tu jouais au gardien de phare et au cerf-volant, on a beaucoup discuté tous les deux. Je peux me tromper, bien sûr, mais j'ai eu l'impression que le courant passait, une sorte d'affinité si tu vois ce que je veux dire. Donc si ça ne te dérange pas, je reviendrais bien te rendre visite et j'en profiterais pour l'inviter à dîner.

– Parmi toutes les filles célibataires au monde, il fallait que tu t'entiches de Sophie ?

– J'ai dit : si ça ne te dérange pas, qu'est-ce que je peux faire de plus...

La voiture démarra et Luc agita la main par la vitre, en signe d'au revoir.

Je n'ai pas vu passer les mois, dévoré par le travail. Les mercredis, Sophie et moi passions la soirée ensemble, un dîner en amis, parfois précédé d'une séance de cinéma où nos solitudes se confondaient dans l'obscurité de la salle. Luc lui écrivait chaque semaine. Un petit mot qu'il rédigeait pendant que son père sommeillait sur sa chaise, adossé au mur de la boulangerie. Chaque fois, Sophie me transmettait les quelques lignes qui m'étaient adressées, Luc s'excusait de ne pas avoir plus de temps pour m'écrire. Je crois que c'était une façon bien à lui de me tenir au courant de sa correspondance avec Sophie.

Le studio était calme, beaucoup trop à mon goût. Il m'arrivait de contempler cette pièce où nous avions tous trois passé tant de soirées, de regarder la porte entrouverte de la cuisine et d'espérer que Luc en surgirait, portant un plat de pâtes ou l'un de ses fameux gratins. Je lui avais fait une promesse et je veillais à la respecter scrupuleusement. Les mardis et samedis, je montais voir notre voisine et passais une heure en sa compagnie. Au fil des mois, j'en avais plus appris sur sa vie que ses propres enfants, me jurait-elle. Ces visites avaient du bon : elle qui refusait de prendre ses médicaments cédait devant l'autorité médicale que je représentais.

Un lundi soir, j'eus l'immense surprise de voir s'exaucer un de mes vœux. Je rentrais chez moi quand je sentis dans l'escalier une odeur familière. En ouvrant la porte, je trouvai Luc en tablier, et trois couverts posés à même le sol.

– Ben oui, j'avais oublié de te rendre la clé ! Je n'allais quand même pas rester sur le palier à t'attendre. Je t'ai préparé ton plat préféré, un gratin de macaronis dont tu me diras des nouvelles. Je sais, il y a trois assiettes, je me suis permis d'inviter Sophie. D'ailleurs si tu pouvais surveiller la cuisine, il faudrait que j'aille me doucher, elle arrive dans une demi-heure et je n'ai même pas eu le temps de me changer.

– Bonjour quand même, lui répondis-je.

– Surtout n'ouvre pas la porte du four ! Je compte sur toi, j'en ai pour cinq minutes. Tu aurais une chemise à me prêter ? Tiens, dit-il en fouillant mon armoire, la bleue fera l'affaire. J'ai profité du jour de fermeture, tu te souviens que la boulangerie ferme le mardi ? J'ai dormi dans le train et me voilà frais comme un gardon. Ça me fait quand même un drôle d'effet d'être ici.

– Et moi drôlement plaisir de te voir.

– Ah, tout de même, je me demandais si tu allais finir par le dire ! Un pantalon, tu aurais aussi un pantalon que je pourrais t'emprunter ?

Luc abandonna mon peignoir sur le lit et enfila le pantalon qu'il avait choisi, il se recoiffa devant le miroir et ajusta la mèche qui tombait sur son front.

– Il faudrait que je me coupe les cheveux, tu ne crois pas ? J'ai commencé à en perdre, tu sais. C'est génétique, il paraît. Mon père se paye un bel aéroport à moustiques à l'arrière du crâne, je crois que je suis bon pour hériter bientôt d'une piste d'atterrissage sur le front. Tu me trouves comment ? me demanda-t-il en se retournant vers moi.

– À son goût, si c'est ce que tu veux savoir. Sophie te trouvera très sexy dans mes vêtements.

– Qu'est-ce que tu vas imaginer ? C'est juste que je n'ai pas souvent l'occasion de quitter mon tablier, alors pour une fois que je peux me mettre sur mon trente et un, ça me fait plaisir, voilà tout.

Sophie sonna à la porte, Luc se précipita pour l'accueillir. Ses yeux pétillaient encore plus que lorsque, enfants, nous réussissions à jouer un sale tour à Marquès.

Sophie était vêtue d'un petit pull bleu marine et d'une jupe à carreaux qui lui descendait aux genoux. Elle les avait achetés l'après-midi même dans une friperie et nous demanda notre avis sur son look un tantinet rétro.

– Ça te va à merveille, répondit Luc.

Sophie sembla se contenter de son avis car elle le rejoignit à la cuisine sans attendre le mien.

Au cours du repas, Luc nous avoua qu'il lui arrivait parfois de regretter certains aspects de sa vie d'étudiant, pas les salles de dissection, précisa-t-il aussitôt, les couloirs de l'hôpital non plus et encore moins les Urgences, mais des soirées comme celle-là.

Lorsque le dîner s'acheva, je restai chez moi. Cette fois, c'est Luc qui alla finir la nuit chez Sophie. Avant de partir, il promit de revenir me voir avant la fin du printemps. La vie en a voulu autrement.

Maman m'avait annoncé dans une lettre sa venue aux premiers jours de mars. En prévision de son arrivée, j'avais réservé une table dans son restaurant préféré et négocié âprement avec mon chef de service une journée de congé. Ce mercredi matin, j'allai la chercher à la descente du train. Les wagons se vidaient de leurs passagers, mais ma mère n'était pas parmi eux. Soudain, Luc m'apparut sur le quai. Il ne portait aucun bagage et se tenait immobile face à moi. Aux larmes dans ses yeux, je compris aussitôt qu'un monde venait de disparaître et que plus rien ne serait comme avant.

Luc s'approcha lentement. J'aurais voulu qu'il ne m'atteigne jamais, qu'il ne puisse pas prononcer les mots qu'il s'apprêtait à dire.

Une foule m'entourait, celle des voyageurs qui avançaient vers les portes de la gare. J'aurais voulu être ceux dont la terre continuait de tourner comme si de rien n'était quand la mienne venait tout juste de s'arrêter.

Luc a dit : « Ta mère est morte, mon vieux », et j'ai

senti le coup de poignard déchirer mes entrailles. Il me retenait dans ses bras, tandis que les sanglots m'emportaient. J'ai poussé un cri sur ce quai de gare, je m'en souviens encore, un hurlement surgi de l'enfance ; Luc me serrait plus fort pour m'empêcher de tomber, en chuchotant : « Gueule, gueule tant que tu veux, je suis là pour ça, mon vieux. »

Je ne te reverrai plus jamais, je ne t'entendrai plus m'appeler comme tu le faisais autrefois le matin, je ne sentirai plus ce parfum d'ambre qui t'habillait si bien. Je ne pourrai plus partager avec toi mes joies et mes chagrins, nous ne nous raconterons plus rien. Tu n'arrangeras plus dans le grand vase du salon les branches de mimosa que j'allais te chercher aux derniers jours de janvier, tu ne porteras plus ton chapeau de paille en été, ni l'étole en cachemire que tu posais sur tes épaules aux premiers froids d'automne. Tu n'allumeras plus le feu dans la cheminée lorsque les neiges de décembre recouvriront ton jardin. Tu es partie avant que le printemps ne vienne, tu m'as laissé, sans prévenir, et jamais de ma vie je ne me suis senti aussi seul que sur ce quai de gare où j'appris que tu n'étais plus.

« Ma mère est morte aujourd'hui », cette phrase, cent fois je me la suis répétée, cent fois sans jamais pouvoir y croire. L'absence née au jour de son départ ne m'a jamais quitté.

Sur le quai de la gare Luc m'a expliqué ce qui était arrivé. Il avait proposé à ma mère de venir la chercher pour l'accompagner à son train. C'est lui qui l'a découverte, inanimée devant sa porte. Luc avait appelé les secours mais il était trop tard, elle était partie la veille au soir. Sortant probablement pour fermer ses volets, elle s'était écroulée, foudroyée par un arrêt cardiaque. Maman a passé sa dernière nuit sur cette terre allongée dans son jardin, les yeux ouverts sur les étoiles.

Nous avons repris le train ensemble. Luc me regardait en silence et moi je regardais défiler le paysage par la fenêtre, pensant au nombre de fois où ma mère l'avait contemplé en venant me voir. J'ai oublié de décommander notre table dans son restaurant préféré.

Elle m'attendait au funérarium. Maman était incroyablement prévenante, le responsable des pompes funèbres m'apprit qu'elle s'était occupée de tout. Elle m'attendait, allongée dans son cercueil. Sa peau était pâle, elle avait ce sourire rassurant, cette façon si maternelle de me dire que tout irait bien, qu'elle veillait sur moi, comme au premier jour de la rentrée des classes. J'ai posé mes lèvres sur ses joues. Un dernier baiser à sa mère est comme un rideau qui tombe pour toujours sur la scène de votre enfance. Je suis resté toute la nuit à la veiller, elle en avait tant passées à veiller sur moi.

À l'adolescence, on rêve du jour où l'on quittera ses parents, un autre jour ce sont vos parents qui vous quittent. Alors, on ne rêve plus qu'à pouvoir redevenir, ne serait-ce qu'un instant, l'enfant qui vivait sous leur toit, les prendre dans vos bras, leur dire sans pudeur qu'on les aime, se serrer contre eux pour qu'ils vous rassurent encore une fois.

J'ai écouté le sermon du prêtre qui officiait devant la tombe de ma mère. On ne perd jamais ses parents, même après leur mort ils vivent encore en vous. Ceux qui vous ont conçu, qui vous ont donné tout cet amour afin que vous leur surviviez, ne peuvent pas disparaître.

Le prêtre avait raison, mais l'idée de savoir qu'il n'est plus d'endroit dans le monde où ils respirent, que vous n'entendrez plus leur voix, que les volets de votre maison d'enfance seront clos à jamais, vous plonge dans une solitude que même Dieu n'avait pu concevoir.

Je n'ai jamais cessé de penser à ma mère. Elle est présente à chacun des moments de ma vie. Il m'arrive de voir un film en pensant qu'elle l'aurait apprécié, d'écouter une chanson dont elle fredonnait les paroles, et certains jours merveilleux de sentir dans l'air, au passage d'une femme, un parfum d'ambre qui me rappelle à elle ; il m'arrive même parfois de lui parler à voix basse. Le prêtre avait raison, qu'on croie en Dieu ou pas, une mère ne meurt jamais tout à fait, son immortalité est là, dans le cœur de l'enfant qu'elle a aimé. J'espère un jour gagner ma parcelle d'éternité dans le cœur d'un enfant qu'à mon tour j'aurai élevé.

Presque tout le village était présent à l'enterrement, même Marquès qui portait à ma grande surprise une écharpe en bandoulière. Ce con avait réussi à se faire élire maire du village. Le père de Luc avait fermé sa boulangerie pour venir aux obsèques. Mme la directrice était présente elle aussi, elle avait raccroché son talkie-walkie depuis longtemps mais elle pleurait encore plus que les autres et m'appelait « son petit ». Sophie est venue, Luc l'avait prévenue et elle avait pris le premier train du matin. De les voir tous les deux se tenir par la main m'apporta un immense réconfort, sans que je puisse dire pourquoi. Lorsque le cortège s'est dispersé, je suis resté seul devant la tombe.

J'ai pris dans mon portefeuille une photo qui ne m'avait jamais quitté, une photo de mon père me tenant dans ses bras. Je l'ai posée sur la tombe de ma mère, pour que ce jour-là nous soyons, une ultime fois, réunis tous les trois.

Après la cérémonie, Luc m'a déposé à la maison dans son vieux break. Il avait fini par acheter cette voiture au type qui la lui louait.

– Tu veux que je t'accompagne à l'intérieur ?

– Non, je te remercie, reste avec Sophie.

– On ne va pas te laisser tout seul quand même, pas un soir comme ça.

– Je crois que c'est ce dont j'ai envie. Tu sais, je n'ai pas remis les pieds ici depuis des mois, et puis, je sens encore sa présence dans ces murs. Je t'assure, même si elle dort au cimetière, je vais passer cette dernière nuit avec elle.

Luc hésitait à partir, il a souri et m'a dit :

– Tu sais, à l'école, nous étions tous amoureux de ta mère.

– Je ne le savais pas.

– Elle était de loin la plus belle de toutes les mères de la classe, je crois que même ce con de Marquès avait le béguin pour elle.

Cette andouille avait réussi à m'arracher un sourire.

Je suis descendu de la voiture, j'ai attendu qu'il s'en aille et je suis entré dans la maison.

*

J'ai découvert que maman n'avait jamais repeint la maison. Son dossier médical se trouvait sur la table basse du salon, je l'ai consulté. En regardant les dates qui figuraient sur ses échographies, j'ai alors tout compris. Cette semaine de vacances dans le Sud, qu'elle s'était soi-disant offerte avec une amie, n'avait jamais eu lieu ; à la fin de l'hiver elle avait fait un malaise cardiaque et pendant que Luc, Sophie et moi partions au bord de la mer, elle était hospitalisée pour subir des examens. Elle avait inventé ce voyage parce qu'elle ne voulait pas que je m'inquiète. J'ai fait ma médecine, espérant soigner ma mère de tous ses maux, et je n'ai pas su déceler qu'elle était malade.

Je me suis rendu dans la cuisine, j'ai ouvert le réfrigérateur, j'y ai trouvé le dîner qu'elle s'était préparé juste avant...

Je suis resté comme un idiot devant ce réfrigérateur ouvert et je n'ai pu retenir mes larmes. Je n'avais pas pleuré pendant l'enterrement, comme si elle m'interdisait de le faire, parce qu'elle voulait que je tienne bon devant les autres. Mais ce sont des petits détails qui font soudain prendre vraiment conscience de la disparition de ceux qu'on a aimés. Un réveil sur une table de nuit qui continue à faire tic tac, une taie d'oreiller dépassant d'un lit défait, une photo posée sur une commode, une brosse à dents dans un verre, une théière sur le rebord d'une fenêtre de cuisine, le bec tourné vers la fenêtre pour regarder le jardin, et, sur la table, les restes d'un quatre-quarts aux pommes nappé de sirop d'érable.

Mon enfance était là, évanouie dans cette maison pleine de souvenirs, les souvenirs de ma mère et des années que nous avions vécues ensemble.

*

Je me suis rappelé que maman m'avait parlé d'une boîte qu'elle avait retrouvée. La lune était pleine et je suis monté au grenier.

Elle était posée en évidence sur le plancher. Sur le couvercle, j'ai trouvé un mot écrit de la main de ma mère.

Mon amour,

La dernière fois que tu es venu, je t'ai entendu monter au grenier. Je me doutais bien que tu allais t'y rendre, c'est pour cela que je t'ai donné ce dernier rendez-vous ici. Je suis certaine que par moments, il t'arrive encore de parler à tes ombres. Ne crois pas que je me moque, seulement, cela me rappelle ton enfance. Quand tu partais à l'école, j'allais dans ta chambre sous prétexte d'y remettre de l'ordre et lorsque je faisais ton lit, je prenais ton oreiller pour sentir ton odeur. Tu étais à cinq cents mètres de la maison et tu me manquais déjà. Tu vois, une mère, c'est aussi simple que cela, ça ne cesse jamais de penser à ses enfants ; du premier instant où s'ouvrent vos yeux, vous occupez nos pensées. Et rien ne nous rend plus heureuses. J'ai essayé en vain d'être la meilleure des mères, mais c'est toi qui as été un fils dépassant toutes mes attentes. Tu seras un merveilleux médecin.

Cette boîte t'appartient, elle n'aurait jamais dû exister, je te demande pardon.

Ta mère qui t'aime et t'aime encore.

J'ai ouvert la boîte ; à l'intérieur, j'y ai trouvé toutes les lettres que mon père m'avait envoyées, à chaque Noël et pour tous mes anniversaires.

Je me suis assis en tailleur devant la lucarne et j'ai regardé la lune se lever dans la nuit. Je serrais les lettres de mon père contre moi, et j'ai murmuré : « Maman, comment as-tu pu me faire ça ! »

Alors mon ombre s'est étirée sur le plancher et j'ai cru voir à ses côtés celle de ma mère, elle me souriait et pleurait à la fois. La lune a continué sa ronde et l'ombre de maman s'en est allée.

Je n'arrivais pas à trouver le sommeil. Ma chambre était silencieuse, plus aucun son ne provenait de l'autre côté de la cloison. Les bruits auxquels j'étais habitué avaient disparu, les plis des rideaux restaient tristement immobiles. J'ai regardé ma montre. À 3 heures du matin Luc prenait sa pause, j'avais envie de le voir. Cette idée m'a guidé et j'ai refermé la porte de la maison sans soupçonner jusqu'où mes pas me conduiraient.

Je tournai au coin de la ruelle. Caché dans l'ombre de la nuit, je vis mon meilleur ami assis sur sa chaise en pleine conversation avec son père. Je n'ai pas voulu les interrompre, j'ai fait marche arrière et j'ai continué mon chemin. Ne sachant où aller, j'ai marché jusqu'aux grilles de l'école, le portail était entrouvert, je l'ai poussé et suis entré. La cour était silencieuse et déserte, du moins c'est ce que je croyais. En m'approchant du marronnier, j'ai entendu une voix m'appeler.

– J'étais sûr de te trouver ici.

J'ai sursauté et me suis retourné. Yves était assis sur le banc et me regardait.

– Viens donc à côté de moi. Depuis tout ce temps, nous avons sûrement des choses à nous dire.

Je me suis installé près de lui et lui ai demandé ce qu'il faisait là.

– J'étais présent aux obsèques de ta mère. Je suis désolé pour toi, c'était une femme que j'appréciais beaucoup. Je suis arrivé un peu en retard, alors je me suis placé à l'arrière du cortège.

Ça me touchait sincèrement qu'Yves soit venu à l'enterrement de maman.

– Qu'est-ce que tu es venu chercher dans cette cour d'école ? m'a-t-il demandé.

– Je n'en ai aucune idée, j'ai vécu une journée difficile.

– Je savais que tu viendrais. Il n'y a pas que l'enterrement de ta mère qui m'ait ramené ici, j'avais envie de te revoir. Tu as gardé ce même regard ; ça aussi, j'en étais certain, même si je voulais quand même le vérifier.

– Pourquoi ?

– Parce que je pense que nous sommes tous les deux à la recherche de quelques souvenirs, avant qu'ils ne disparaissent, eux aussi.

– Qu'est-ce que vous êtes devenu ?

– Comme toi, j'ai changé d'horizon, je me suis construit une nouvelle vie. Mais c'était toi l'écolier, alors qu'as-tu fait après avoir quitté ces murs et cette petite ville ?

– Je suis médecin, enfin... presque. Je n'ai même pas su détecter que ma propre mère était malade. Je croyais voir des choses invisibles aux yeux des autres, j'étais encore plus aveugle qu'eux.

– Tu te souviens, je t'ai promis un jour que si tu avais quelque chose sur le cœur, quelque chose dont tu ne te sentais pas le courage de parler, tu pouvais te confier à moi, et que je ne te trahirais pas. C'est peut-être la nuit ou jamais...

– J'ai perdu ma mère hier, elle ne m'avait rien dit de sa maladie, et j'ai trouvé ce soir dans le grenier de notre maison des lettres de mon père qu'elle m'avait cachées. On commence par un mensonge et on ne sait plus où s'arrêter.

– Que t'écrivait ton père, si ce n'est pas indiscret ?

– Qu'il était venu me voir chaque année à la remise des prix. Qu'il se tenait au loin derrière ces grilles. J'étais si près de lui et si loin à la fois.

– Il ne te disait rien d'autre ?

– Si, il m'a avoué avoir fini par renoncer. Cette femme pour laquelle il a quitté ma mère, il a eu un autre fils avec elle. J'ai un demi-frère. Il paraît qu'il me ressemble. J'ai une vraie ombre cette fois, c'est amusant, non ?

– Qu'est-ce que tu comptes faire ?

– Je ne sais pas. Dans sa dernière lettre, mon père me parle de sa lâcheté, il me dit qu'à vouloir offrir un futur à cette nouvelle famille, il n'a jamais eu le courage de leur imposer son passé. Je sais maintenant où tout cet amour est parti.

– Quand tu étais petit, ce qui faisait de toi un enfant différent, c'était ton pouvoir à ressentir le malheur, pas seulement celui qui t'affectait, mais aussi celui qui touchait les autres. Tu es juste devenu adulte.

Yves me sourit et poursuivit en me posant une étrange question.

– Si l'enfant que tu étais rencontrait l'homme que tu es devenu, crois-tu qu'ils s'entendraient bien ensemble, qu'ils pourraient être complices ?

– Qui êtes-vous vraiment ? lui demandai-je.

– Un homme qui refusait de grandir, un gardien d'école à qui tu as rendu sa liberté, ou une ombre que tu as inventée quand tu avais besoin d'un ami, à toi de choisir. Mais j'ai une dette envers toi, et je crois que cette nuit sera le bon moment pour l'acquitter. À propos de bon moment, tu te rappelles ce que je t'avais dit un jour au sujet des rencontres amoureuses ? Je crois qu'à l'époque tu vivais ta première désillusion.

– Oui, je m'en souviens, je n'étais pas très heureux non plus, ce jour-là.

– Tu sais, le bon moment, ça marche aussi pour des retrouvailles. Tu devrais aller traîner derrière ma remise. Je crois que tu y avais laissé quelque chose, quelque chose qui t'appartenait. Va ! Je t'attends ici.

Je me suis levé et suis allé derrière la cabane en bois, mais j'avais beau regarder autour de moi, je ne trouvais rien de particulier.

J'entendis la voix d'Yves me crier de mieux chercher. Je me suis agenouillé, la lune éclairait suffisamment pour qu'on y voie presque comme en plein jour, mais toujours rien. Le vent se mit à souffler, une bourrasque souleva de la poussière et j'en reçus plein la figure. Les paupières closes, je cherchai un mouchoir pour m'essuyer les yeux et recouvrer un semblant de vision. Dans la poche de mon blazer, celui que j'avais porté un soir en allant au concert, je trouvai un bout de papier, un autographe signé de la main d'une violoncelliste.

Je suis retourné vers le banc, Yves ne s'y trouvait plus, la cour était à nouveau déserte. À la place où il était assis, une enveloppe était calée sous un petit caillou. Je l'ai décachetée, il y avait à l'intérieur une photocopie faite sur un très beau papier que le temps avait un peu jauni.

Seul sur ce banc, j'en ai relu les lignes. C'est peut-être cette phrase où maman m'écrivait que son plus grand souhait était que je sois épanoui plus tard ; qu'elle espérait que je trouve un métier qui me rende heureux et que quels que soient les choix que je ferais dans ma vie, tant que j'aimerais et serais aimé, j'aurais réalisé tous les espoirs qu'elle fondait en moi. Ce sont peut-être ces lignes-là qui à mon tour m'ont libéré des chaînes qui me retenaient à mon enfance.

Le lendemain, j'ai refermé les volets de la maison et je suis passé dire au revoir à Luc. Dans la vieille voiture de ma mère, j'ai roulé toute la journée. En fin d'après-midi, je suis arrivé dans une petite station balnéaire. Je me suis garé devant la digue. J'ai enjambé la chaîne du vieux phare, je suis monté jusqu'à la coupole et j'ai récupéré mon cerf-volant.

En me voyant arriver, la directrice de la pension de famille avait l'air encore plus désolé que la dernière fois.

– Je n'ai toujours pas de chambre, me dit-elle en soupirant.

– Cela n'a aucune importance, je suis juste venu rendre visite à un de vos pensionnaires et je sais où le trouver.

Mme Pouchard était assise dans son fauteuil, elle se leva et vint à ma rencontre.

– Je ne pensais pas que vous tiendriez votre promesse, c'est une bonne surprise.

Je lui avouai que ce n'était pas vraiment elle que j'étais venu voir. Elle baissa les yeux, vit le sac que je tenais dans une main et jeta un œil au cerf-volant que je tenais dans l'autre. Elle me sourit.

– Vous avez de la chance, je ne dirais pas qu'il a toute sa tête aujourd'hui, mais il est plutôt dans un bon jour. Il est dans sa chambre, je vous y emmène.

Nous avons monté l'escalier ensemble, elle a frappé à la porte et nous sommes entrés dans la chambre de l'ancien marchand du bazar.

– Vous avez de la visite, Léon, a dit Mme Pouchard.

– Ah oui ? Je n'attends personne, répondit-il en posant son livre sur la table de chevet.

Je m'approchai de lui et lui montrai mon aigle, en piteux état.

Il l'observa un long moment et son visage s'éclaira.

– C'est drôle, j'en avais donné un semblable à un petit garçon dont la mère était si radine qu'elle refusait de lui faire un cadeau d'anniversaire. Tous les soirs le gamin me le ramenait et le reprenait le matin, pour ne pas la gêner disait-il.

– Je vous ai menti, ma mère était la plus généreuse des femmes, elle m'aurait offert tous les cerfs-volants du monde si je les lui avais demandés.

– En fait, je crois que c'était un bobard qu'il avait inventé, poursuivit le vieil homme qui ne m'avait pas écouté. Mais ce petit gosse avait l'air si malheureux sans son cerf-volant que je n'ai pas pu résister à l'envie de le lui offrir. Ah j'en ai vu des gamins rêver devant l'étal de mon bazar.

– Vous pourriez le réparer ? lui demandai-je, fébrile.

– Il faudrait le réparer, me dit-il, comme si seule la moitié de mes phrases l'atteignait. Dans cet état, il n'est pas près de voler.

– C'est exactement ce que ce jeune homme vous demande, Léon, faites un peu attention tout de même, c'est agaçant.

– Madame Pouchard, si au lieu de me faire la leçon, vous alliez m'acheter de quoi rafistoler ce cerf-volant, je pourrais me mettre à l'ouvrage puisque c'est la raison pour laquelle ce jeune homme est venu me rendre visite.

Léon nota sur une feuille tout ce dont il avait besoin. Je récupérai la liste et fonçai à la quincaillerie. Mme Pouchard me raccompagna à la porte et me glissa à l'oreille que si je passais par hasard devant le bureau de tabac, elle serait la plus heureuse des femmes.

Je revins une heure plus tard, mes deux missions accomplies.

Le vieux marchand du bazar me donna rendez-vous le lendemain, à midi sur la plage, il ne promettait rien, mais il ferait de son mieux.

J'ai invité Mme Pouchard à dîner. Nous avons parlé de Cléa et je lui ai tout raconté. Alors que je la raccompagnais à la pension, elle m'a soufflé une idée à l'oreille.

J'ai trouvé une chambre dans un petit hôtel du centre-ville. Je me suis endormi à peine la tête posée sur l'oreiller.

*

À midi, je me tenais devant la grève. Le marchand du bazar arriva en compagnie de Mme Pouchard, pile à l'heure. Il déplia le cerf-volant et me le présenta fièrement. Les ailes étaient rafistolées, l'armature réparée et même si mon aigle avait un peu l'air éclopé, il avait quand même retrouvé une belle allure.

– Tu peux lui faire faire un petit vol d'essai, mais sois prudent, ce n'est plus un perdreau de l'année.

Deux petits « S » et un grand « 8 ». Au premier coup de vent, il s'est envolé. Le dévidoir filait à toute vitesse et Léon applaudissait à tout-va. Mme Pouchard le prit par le bras et posa sa tête sur son épaule. Il en rougit, elle s'excusa mais resta dans la même position.

– Ce n'est pas parce qu'on est veuve, dit-elle, qu'on n'a pas envie d'un peu de tendresse.

Je les ai remerciés tous les deux et les ai laissés sur la plage. J'avais de la route à faire et j'étais pressé de rentrer.

*

J'ai appelé mon chef de service, j'ai prétendu que les obsèques de ma mère me retenaient un peu plus que prévu, je reprendrais mon service avec deux jours de retard.

Je sais, on commence par un mensonge et on ne sait plus comment s'arrêter, mais je m'en fiche, chacun a ses raisons et pour une fois moi aussi j'avais les miennes.

Je me suis présenté au conservatoire en début d'après-midi. Le gardien m'a tout de suite reconnu. Sa gorge était guérie, m'a-t-il dit en me faisant entrer dans son bureau. Je lui demandai s'il pouvait m'aider à nouveau.

Cette fois, je cherchais où et quand Cléa Norman jouerait son prochain concert.

– Je n'en sais rien, mais si vous voulez la voir, elle est salle 105 au rez-de-chaussée au fond du couloir. Il faudra attendre un peu, à cette heure-ci, elle enseigne et les cours se terminent à 16 heures.

Je n'étais pas habillé comme il le fallait. Mal coiffé, mal rasé, je me serais inventé mille raisons pour ne pas y aller. Je n'étais pas encore prêt. Mais je n'ai pas pu résister à l'envie de la voir.

Sa salle de classe était vitrée, je suis resté quelques instants à la regarder depuis le couloir, elle enseignait à de jeunes enfants. J'ai posé ma main sur la vitre, un de ses élèves a tourné la tête vers moi et s'est arrêté de jouer. Je me suis baissé et suis reparti à quatre pattes comme un idiot.

J'ai attendu Cléa dans la rue. Lorsqu'elle est sortie du conservatoire, elle a noué ses cheveux et a marché vers la station de bus son cartable à la main. Je l'ai suivie, comme on suit son ombre, la lumière derrière soi. Pourtant, ce jour-là, Cléa était ma seule lumière, elle avançait à quelques pas devant moi.

Elle est montée dans l'autobus, je me suis assis sur le premier fauteuil et j'ai tourné la tête vers la vitre. Cléa s'est installée sur la banquette arrière. À chaque arrêt j'avais l'impression que mon cœur allait cesser de battre. Après six stations, Cléa est descendue.

Elle a remonté la rue sans jamais se retourner. Je l'ai vue pousser la porte cochère d'un petit immeuble. Quelques instants après, deux fenêtres se sont allumées au troisième et dernier étage, sa silhouette allait de la cuisine au salon, sa chambre devait donner sur la cour.

J'ai attendu assis sur un banc sans quitter un instant ces fenêtres du regard. À 18 heures, un couple est entré dans l'immeuble, le deuxième étage s'est illuminé, à 19 heures, un vieux monsieur qui habitait au premier. À 22 heures, les lumières de l'appartement de Cléa se sont éteintes. Je suis resté encore un peu avant de partir, le cœur en liesse. Cléa vivait seule.

Je suis revenu aux premières heures du jour. Un joli vent soufflait sur le matin. J'avais apporté mon cerf-volant. Aussitôt dépliées, les ailes se sont gonflées et l'aigle s'est envolé. Quelques passants s'arrêtaient, amusés, avant de poursuivre leur chemin. L'aigle rafistolé se hissa le long de la façade et se mit à faire quelques pirouettes devant les fenêtres du troisième étage.

Cléa se préparait un thé dans sa cuisine quand elle l'aperçut. Elle n'en crut pas ses yeux et sa tasse de petit déjeuner en fit les frais en se brisant sur le carrelage.

Quelques instants plus tard, la porte de l'immeuble s'ouvrit et Cléa avança jusqu'à moi, me fixant du regard. Elle me sourit et posa sa main sur la mienne, pas pour la retenir mais pour s'emparer de la poignée du cerf-volant.

Dans le ciel d'une grande ville, elle fit faire à un aigle en papier de grands « S » et des « 8 » parfaits. Cléa avait toujours le don de la poésie aérienne. Quand j'ai enfin compris ce qu'elle écrivait, j'ai lu : « Tu m'as manqué. »

Une femme qui réussit à vous écrire « Tu m'as manqué » avec un cerf-volant, on ne peut jamais l'oublier.

Le soleil se levait. Sur le trottoir nos ombres s'étiraient côte à côte. Soudain, j'ai vu la mienne se pencher et embrasser celle de Cléa.

Alors, bravant ma timidité, j'ai ôté mes lunettes et je n'ai plus eu qu'à l'imiter.

Il paraît que ce matin-là, sur une digue, la lanterne d'un petit phare abandonné s'est remise à tourner, c'est l'ombre d'un souvenir qui me l'a raconté.

Merci à

Pauline.
Louis.

Susanna Lea.

Emmanuelle Hardouin.
Raymond, Danièle et Lorraine Levy.

Nicole Lattès, Leonello Brandolini, Antoine Caro, Élisabeth Villeneuve, Anne-Marie Lenfant, Arié Sberro, Sylvie Bardeau, Tine Gerber, Lydie Leroy, Joël Renaudat, et toutes les équipes des Éditions Robert Laffont.

Pauline Normand, Nathalie Lepage.

Léonard Anthony, Romain Ruetsch, Danielle Melconian, Katrin Hodapp, Mark Kessler, Laura Mamelok, Lauren Wendelken, Kerry Glencorse, Moïna Macé.

Brigitte et Sarah Forissier.

Retrouvez toute l'actualité de Marc Levy

www.marclevy.info

www.facebook.com/marc.levy.fanpage

Pour en savoir plus sur *Le Voleur d'ombres*

www.levoleurdombres.com

Cet ouvrage a été imprimé
en juin 2010 par

FIRMIN-DIDOT

27650 Mesnil-sur-l'Estrée
N° d'édition : 50629/01
N° d'impression : 100387
Dépôt légal : juin 2010

Ce volume a été composé et mis en pages
par ÉTIANNE COMPOSITION
à Montrouge.